Alex Francés

GALERÍA LUIS ADELANTADO

En colaboración con:

Centro de Fotografía – Universidad de Salamanca

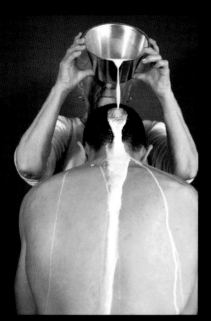

Alex Francés

Caligrafía

Equipo Marít...

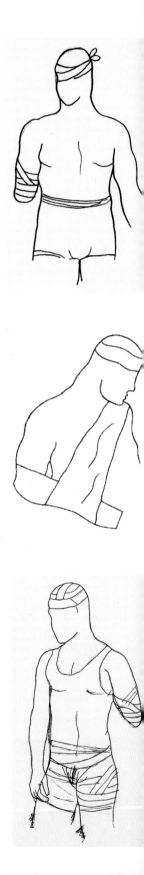

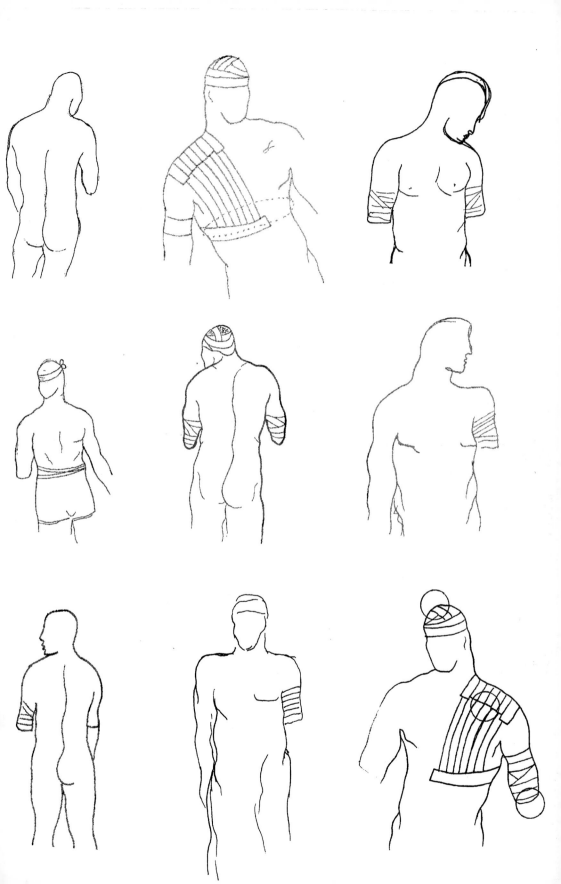

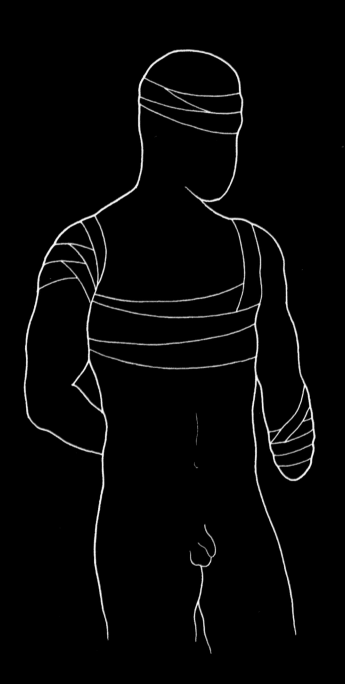

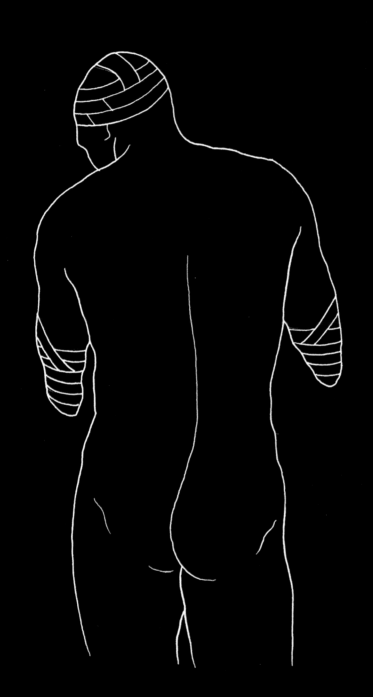

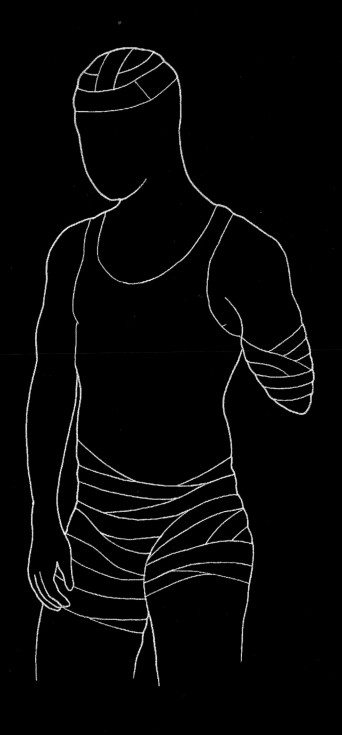

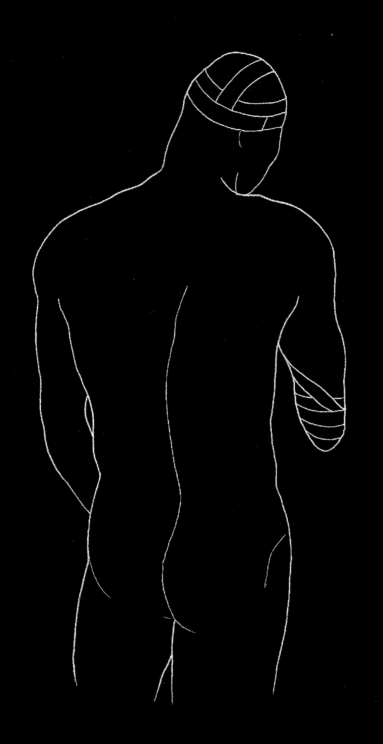

heridas que respiran

por
Lourdes Santamaría y Sylvia Lenaers

breathing wounds
by
Lourdes Santamaría & Sylvia Lenaers

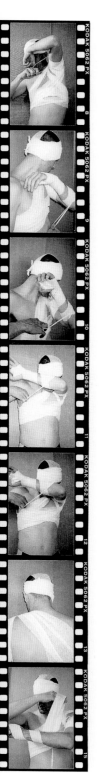

heridas que respiran

Alex Francés utiliza la fotografía como testimonio de un proceso pictórico y escultórico sobre un *cuerpo* en el que se dibujan las ideas, mitos y tabúes que giran en torno a el *cuerpo*, entendido como una máquina corporal y "deseante". Le interesan las funciones corporales sometidas a un ordenamiento íntimo y a una regulación pública como metáfora de la "fisiología" de los sentimientos y de las relaciones afectivas y sociales.

Por un lado están los procesos rituales de curación del cuerpo y el espíritu, previamente herido, mancillado o maltratado, que nos da conciencia de su fragilidad, vulnerabilidad y dolor. El cuerpo es un lugar de tránsito por donde todo lo puro e impuro fluye y se desborda, exudando por sus orificios secretos agua, aceite, barro, leche... materias orgánicas asumidas como parte integrante de la renovación del cuerpo.

Por otro lado, el cuerpo sexuado es visto como una máquina de succión y lubricación, con tubos que expulsan e intercambian una serie de fluidos, objeto húmedo penetrable y penetrante, que busca una fusión total, un contacto intestinal o umbilical con otro cuerpo gemelo.

La mecánica de la sexualidad se concreta en un territorio ficcional donde se permite el juego y la posibilidad del llegar a ser. La puesta en escena de algunas de sus imágenes no guarda relación con el universo sadomasoquista, a pesar de su parecido formal con esta estética, sino que son una metáfora de los simulacros de poder, del desasosiego y del sufrimiento interior. Los hombres atados, enmascarados y torturados que nos muestra están inmersos en un mundo en el cual la máscara permite el anonimato, la dualidad y el intercambio de los roles de víctima y verdugo.

En su obra hay una constante y es el enmascaramiento u ocultamiento total o parcial del rostro y el cuerpo. Según Gombrowicz, la persona, torturada por su máscara, se cons-

Breathing Wounds

Alex Francés uses Photography as a way of recording a pictorial, sculptoric process that tells us about the body as a canvas where all our designs, ideas and myths about it are sketched, the body understood as a "desire machine". He is interested in bodily functions as long as they are arranged according to a private order as well as to a public regulation, as a metaphor of a "physiology" of feelings and of social and emotional relationships.

On the one hand, we have ritual processes for the healing of body and spirit, previously wounded, hurt, abused, in a way that makes us aware of its vulnerability, its fragility, its pain. The body is a transient place where everything, clean and unclean, goes through and over-flows with water, oil, mud, milk... spurting from its secrets orifices. Organic matter, these, which play an important part in the body's renovation.

On the other hand, the sexed body is perceived as a sucking, lubricating machine, with pipes and tubes spurting or swapping bodily fluids: a wet, penetrable, penetrating object in search of a total union, either from the gut or through the umbilical cord, with another twin body.

The mechanics of sexuality take form in a fictional territory where play and the possibility of being are allowed. The sets in some of his pictures are in no way related to sadomasochism, even when, from a formal and aesthetic point of view, this could seem to be the case. They are, in fact, a metaphor for power play, inner despair and private suffering. These tied up men, masked, tortured, that he presents to us, are immersed in a world where the mask allows anonimity, duality, and the possibility of switching the roles of torturer and victim.

There is a constant, in his work, which is the act of masking and or concealing of face and body. According to Gombrowicz, the individual, tortured by his/her own mask, constructs in secret, for his/her own priva-te use, a universe of amorphous myths and unconfessable passions, out of which a poetry of shame, a somewhat compromising beauty is born.

truye en secreto, para su uso íntimo, un mundo de mitos informes y pasiones inconfesadas, del cual nace una poesía vergonzosa, una cierta comprometedora hermosura.

Los hombres que Álex nos muestra, atados, abandonados o luchando están inmersos en ese mundo inconfesado. La dualidad de las figuras enmascaradas nos recuerda al doble, contenido en el ser humano que se manifiesta a través de la máscara; ella invoca ese inmanente desconocido, secreto y a menudo siniestro que lleva inscrito en sí mismo la lucha entre el miedo y la muerte, y es fundamental en el proceso de la desintegración y reintegración de la identidad.

Vemos la plasmación de este conflicto en las imágenes del guerrero luchando contra su doble, el adversario que permite al ser medirse consigo mismo. Pero, ¿para qué?, simplemente para atesorar sus tristes *Posesiones de barro*. El casco, convertido en una caja de resonancia, sólo reverbera su voz acolchada confundiendo realidad y ficción en un universo onírico habitado por múltiples "yo" en conflicto. El guerrero lleva una armadura de tejas de barro que ciñe dolorosamente su cuerpo. Tal vez ese despliege de fuerza sea ficticia y lo que pretende es ocultar su vulnerabilidad, protegerse con una coraza de arcilla pretendidamente dura, pero frágil y quebradiza en realidad.

En esta puesta en escena tenebrista, el adversario se presenta desnudo, vulnerable, adopta poses de humillación e indefensión ante el guerrero, su doble, se retrae ante su exhibición de fuerza. Pero tal vez con su aparente humildad y pasividad lo que hace es manipular y enardecer a su contrincante, seducirlo con la sinuosas poses de su cuerpo para satisfacer sus más oscuros deseos. Su cuerpo-fetiche es el lugar de encuentro entre el deseo y la realidad, es la imagen que conjura e intenta dominar al objeto fóbico.

La máscara permite el desdoblamiento del artista, estar delante y detrás del ojo fotográfico, ser actor y director, ser el fetiche y el *voyeur*, en una interrogación perpetua acerca de los simulacros, las apariencias y los reflejos.

El artista, a través de la realidad de unas imágenes contundentes y a veces provocadoras, se acerca a cuestiones eternas suscitadas

The men that Alex Francés presents to us, whether tied up, abandoned or even fighting, are indeed submerged in this unconfessable world. This duality in the masked figures reminds us of the double, contained within each human being and that shows up as the mask. The mask summons this inmanent presence, secretive and often sinister that carries in it the fight between Fear and Death, and plays a fundamental role in the process of disintegration and re-integration of identity.

We witness this conflict in pictures such as those of the warrior fighting against its own double, the adversary that gives the self the chance to be up to itself. But, what is all this for? Well, just to give himself the opportunity to stash its own possessions, made of mud. The helmet, becoming a drum box, amplifies his voice and mistakes fact for fiction in a dream like universe where multiple "I's" dwell in conflict. The warrior wears a painful armour made of mud tiles that he attaches to his own body. It may be that all this show of strength is nothing but pretence, that he is just trying to hide his vulnerability, to protect himself with an armour made of mud and presumably strong, but ultimately brittle and breakable.

In this chiaroscuro set, the foe presents himself naked, vulnerable, and adopts a humiliated and defenceless pose in the presence of the warrior, his double in fact, and takes a step back in front of this show of strength. But it might as well be the case that, with al his passive and humble ways, what he is actually doing is manipulate, tease his enemy and seduce him with his tempting body language, eager to satisfy his foe's darkest lust. His fetishised body is a meeting place between reality and desire, is the image that summons, tames his most feared object.

The mask gives the artist the chance to split, to be both at the forefront and behind the camera, to be the actor and the director, in a never ending questioning of the make-believe, the simulacra, the pretences and the mirages.

por los mitos. Se mira (se busca, se encuentra) a sí mismo en el arte de raiz clásica, porque las preguntas, dudas y contradicciones actuales son siempre atemporales: giran en torno a la locura y la muerte, el sexo y el espíritu, el dolor y la carne. Sus imágenes exploran las diferentes vías de la heterodoxia sexual y muestran comportamientos estigmatizados o prohibidos que acentúan la ambivalencia de las miradas del espectador, convertido en un *voyeur* de estos cuerpos impúdicamente exhibidos, clásicos y a la vez radicalmente contemporáneos.

Álex incide en la ambigüedad de los deseos y la vulnerabilidad de la carne, cruelmente atada y expuesta a las miradas y a las apetencias del otro, como él nos indica, *el cuerpo, ese tubo de carne sellado, es atado como un paquete despanzurrado y vuelto a coser*. Tan violento es el deseo que hay que domesticarlo y someterlo con esparadrapos, vendas, gomas, cinchas, cuerdas… El cuerpo así castigado es más consciente que nunca de la palpitación de la carne.

Sin embargo son las represiones de la sociedad las que más atenazan al cuerpo con una red torturadora y angustiosa de tabús que castran al individuo. En el cuerpo confluyen todos los "pecados" del mundo, del demonio y de la carne, según la moral judeocristiana y la tradición artística y cultural, que asimila la carne al pecado y a la corrupción moral.

Alex construye imágenes que preludian la muerte, se envuelve en una mortaja de carne que absorbe todo el calor del cuerpo y desvela el cadáver latente que yace oculto bajo la piel, convertido en una lámina de anatomía del sufrimiento. A menudo la piel, pulida y depilada, se convierte en un lienzo virgen dispuesto a ser mancillado. Es una piel con memoria, transformada en un pergamino flexible, surcado por la caligrafía que dibujan sus cicatrices, tatuajes, barro, hojas o cenizas.

El cuerpo es una materia delicuescente, un odre con orificios que se llenan y vacían, es el agua de las ofrendas que se

18

The artist, through the reality of some very stunning images, and at times provoking, gets closer to universal questions that myths kindle. He regards himself (searches, finds himself) in an art of classical roots: the questions, the doubts, the current contradictions are eternal, they deal with Death and madness, sex and spirit, flesh and pain. His images examine the different ways of the sexually heterodox. He shows these as stigmatised, forbidden, stressing the dual nature of the spectator's regard, his voyeuristic role in front of these bodies exposed without qualms, classical and, at the same time, radically contemporary.

The ambiguity of desire, the vulnerability of the flesh, cruelly tied up and exposed to the other's wishes, as he clearly hints, then the body, just a mass of sealed pipes, is tied up like a flesh parcel, disembowelled and sewn together again. Desire is so violent that the body must be tamed, submitted with elastic bands, bandages, rubber bands, straps, ropes... the body, punished in this way, becomes more aware that ever of the live, throbbing nature of flesh.

Still, it's mostly society's repression that constrict the body, with its torturing network and the agonising taboos that castrate the individual. In the body, all the "sins" of this world gather, the flesh and the devil, according to our Judeo-Christian morality and our cultural and artistic tradition, which assimilate the body to sin and moral corruption.

Alex constructs pictures that anticipate Death, he wraps himself in a shroud made of flesh that absorbs the body heat, exposing the corpse under the skin, which has become an anatomy plate of suffering. Very often, the skin, scrubbed and shaven, becomes a virgin canvas ready to be stained. It's a skin complete with its own memory, a supple parchment inscribed with the caligraphy of its own scars, tattoos, mud, leaves and ash.

The body is melting matter, a vessel full of holes that fill up and empty themselves; it's the ceremonial waters overflowing; a desire that licks itself, that disappears down the gutter. When the body is fluid (it dissolves and flows, gets stagnated and rots), the summons of Death becomes more intense. The body is that of Ophelia, but is

desborda, un líquido que rezuma, un deseo que se lame, que se escapa por los desagües. Cuando el cuerpo es agua (se diluye, fluye, se estanca o se pudre) es más intensa la invocación de la muerte. Es Ofelia, y también es Narciso, abandonados a su locura y deseo, insensibles a su propia angustia, criaturas concebidas por el agua, como los tritones y las ondinas, y a la que vuelven para morir ahogados entre flores, lágrimas y recuerdos. Solo queda el cadáver andrógino, devuelto a la orilla por la marea.

El agua es un goce helado, inaprensible, lágrimas de Eros que congelan el cuerpo en una tumba abierta, en un vacío excavado por el propio cuerpo que intenta expresar, con su palabra-ausencia, el vacío que se ha tragado todas las otras palabras. Sepulcro níveo que acalla el deseo y olvida la vida, suspendida entre la eternidad y el tiempo, un túmulo que absorbe y regurgita la carne. Un hombre deja la huella de su cuerpo, la sombra de su sombra, en un lecho de semillas que desvela la silueta del vacío de su cuerpo-palabra.

Las obras despliegan variadas interpretaciones semánticas de la palabra *figura*: nos remiten por un lado al ser, a la forma humana y a las figuras hechas con arcilla, y por otro lado, a la representación estética del cuerpo y a lo metafórico o simbólico. En el escenario mágico y artificial, el cuerpo se revela proteico y toma el lugar de las palabras: cuerpo-imagen, cuerpo-metáfora, cuerpo-fetiche, cuerpo-arcilla...

El pentagrama suspendido se convierte en línea de caligrafía, formada por figurillas de barro, como exvotos paganos.

El barro se convierte en caparazón de tortuga, en la armadura de un samurai, el hombre se rebela, busca su eliminación ritual, su destrucción dolorosa en un acto de contrición. Tras el harakiri masturbatorio se atavía de tejas y anhela su olvido a través del emparedamiento.

En ocasiones el cuerpo se mimetiza con elementos naturales como hojas, ramas y palmas secas, mostrando la fragilidad de la existencia de todo lo que crece, de la podedumbre de lo orgánico. De esta manera encontramos la imagen de un cuerpo yaciendo sobre un círculo de flores calcinadas, abrasadas tal vez por la incandescencia del deseo de ese mismo cuerpo y circundado por flores aun vivas. Son imágenes

also Narcissus, abandoned to their own madness and desire, alien to their own despair, creatures born of the waters, like the tritons and ondines, and to which they return to die among the flowers, the tears, the memories. All that there is left is this androginous corpse, washed back to the shore by the tide.

Water is a chilled delight, elusive, Eros' tears that freeze the body in an open grave, in a void dug up by the body itself, when trying to express, with the help of absent words, the void that swallowed up all the other words. A snow-white tomb that hushes desire and neglects life, hanging between time and eternity, a mound that sucks up the flesh to spit it out again. A man leaves the print of his body, the shadow of its own shadow, in a bed of seeds that reveals the empty silhouette of his word-body.

These works allow for different semantic readings of the figure-word: on the one hand, they refer us to the human being, to the human form and to the human figures modelled in clay. On the other hand, they also refer to an aesthetic representation of the human body and to the metaphoric-symbolic. In this magical, unnatural stage, the body reveals itself as proteic, and takes on the role of words: the body as image, the body as metaphor, the body as fetish, the body as clay...

The suspended pentagram becomes a callygraphic paragraph formed by little clay figures, like some pagan offerings.

Clay becomes a tortoise shell, a samurai armour, the man rebels and searches for his ritual annihilation, his painful destruction through an act of remorse. After a masturbatory hara-kiri, he puts on his clay tile costume and aims at oblivion by walling himself up.

Sometimes, the body blends with other natural elements such as leaves, twigs and dry palms, showing us how

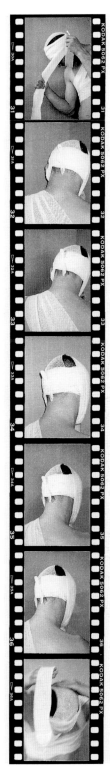

que recuerdan la estética simbolista de cuadros de Gustav Klimt o Giovanni Segantini, con sus mujeres rodeadas de hojarasca dorada o enredadas en arboles secos y retorcidos. Pero las sugerentes imágenes de Álex trascienden el esteticismo simbolista y subvierten sus significados más perversos y decadentes. El artista revierte las imágenes y las actitudes atribuidas a lo femenino: la pasividad, el abandono, la voluptuosidad de los cuerpos femeninos y se apropia ellos, considerándolos como inherentes a la condición masculina, más allá de la atribución genérica.

Todo el proceso orgánico que atraviesa el cuerpo, pasando de lo húmedo a lo seco, finaliza con el residuo alquímico que son las cenizas. El cuerpo se reboza con una materia infecta, de dolor y lodo pulverizados. El rito exige que las cenizas vuelvan a las cenizas, y que el cuerpo renacido se purifique con ungüentos de leche y aceite.

El neonato arrodillado boquea por sus heridas abiertas, el apósito se transforma en carne, se convierte en hueco, vientre preparado para acoger, teje la carne hasta convertirla en bolsa, recipiente o cobijo.

El alma tumefacta muda de piel, ofreciendo sus colgajos. El ser, *orillado a su pesar*, es expuesto en el mostrador de la carnicería a la espera del próximo comprador. El despiece aún no se ha completado, la forma del hombre todavía se reconoce, el cadáver aún no está en sazón.

Los cuerpos mutan, el híbrido palpa, huele, mira, investiga, busca en el otro el reconocimiento de sí mismo, la igualdad, como si fueran los primeros o los últimos seres de una nueva especie. Los gemelos incompletos danzan, explorando sus orificios secretos, esas branquias, heridas que respiran. Brazos y manos exploran y tantean, introduciéndose bajo la piel... déjame entrar en tu cuerpo, ser la carne de tu carne, llegar hasta tus entrañas, acariciar tu corazón, comprobar la textura de tu fibra muscular, tan semejante a la mía, amantes-hermanos.

Lourdes Santamaría – Sylvia Lenaers

fragile it is the existence for everything that grows out of the rotting organic compost. In this way, we find images such as that of a body lying among a circle of burnt flowers, burnt perhaps in the heat of the desire from that same body, but circled, too, by another circle of live flowers. These images resemble the symbolist aesthetic in Gustav Klimt's paintings or Giovanni Segantini, with their women enveloped in golden leaves, twisted among dry, knotty trees. But Alex's suggestive pictures go beyond this aesthetic symbolism and subvert their most perverse, decadent readings. The artist swaps the images and attitudes associated with the feminine: passivity; abandon; the voluptuous female bodies. He appropriates them as part the male condition, beyond the traditional attributes of the genders.

All this organic process that the body goes through, from the wet to the dry, ends up in the alchemical residue of ashes. The body rolls in this infectious matter of hurt and mud reduced to dust. The ritual demands that ashes become ashes once again, and that the body reborn purifies itself bathing in oil and milk.

The kneeling new born breathes through its open wounds, the bandages become the flesh, become a void, a womb ready to shelter, weaves the flesh until it becomes a recipient, a pouch, a shelter.

The diseased soul renews its skin, presenting us its old shreds. The being, quartered despite himself, is at the butcher's counter, waiting for the next buyer. The quartering is not yet accomplished, the human shape is still recognisable, the corpse is not matured yet.

Bodies change, the hybrid throbs, sniffs, looks, searches, finds in the other his own acknowledgement, equality, as if they were either the last ones or the first ones of a new species. The incomplete twins dance, exploring each other's secret orifices, those gills, those breathing wounds. Arms and hands explore and feel, getting under the skin... Let me enter your body, be the flesh of your flesh, get to the bottom of your entrails, caress your heart, feel the texture of your muscle fibre, so similar to my own, brothers, lovers.

Lourdes Santamaría – Sylvia Lenaers

una pregunta inicial

¿será el cuerpo un juicio?

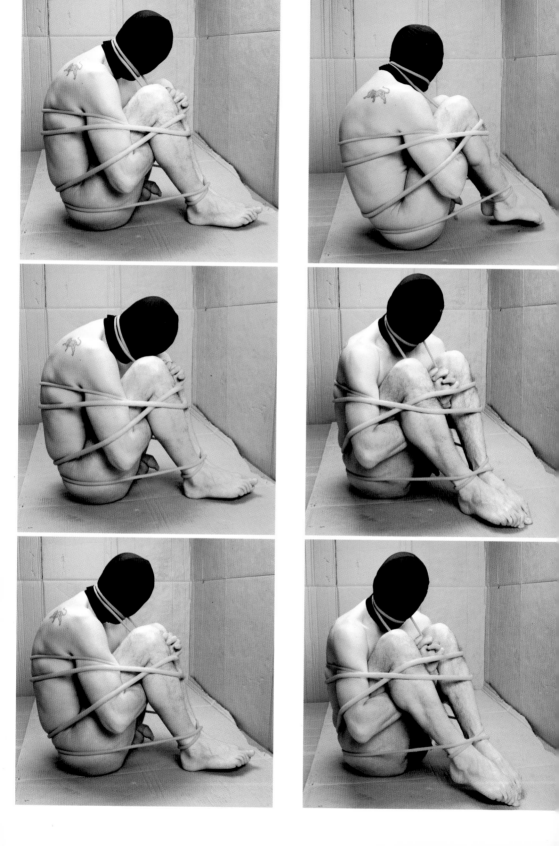

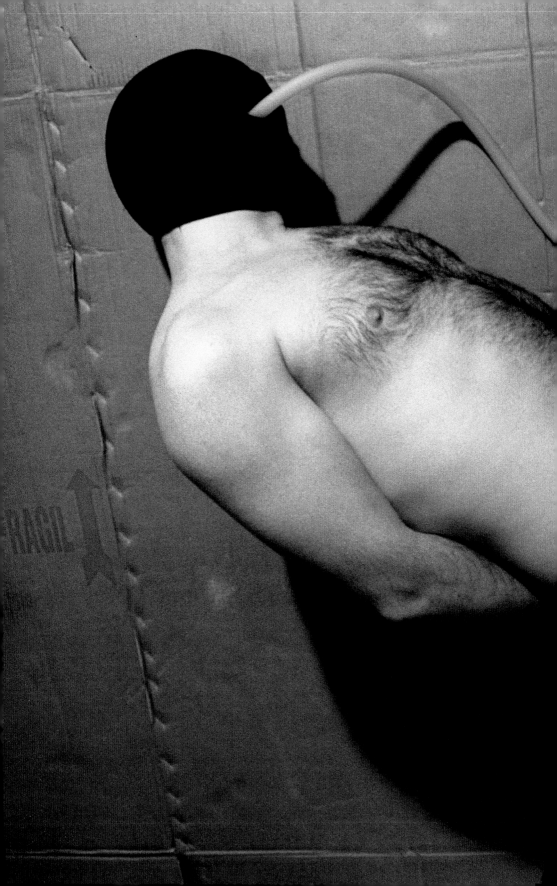

¿qué será ese paquete tan bien atado

despanzurrado y vuelto a coser?

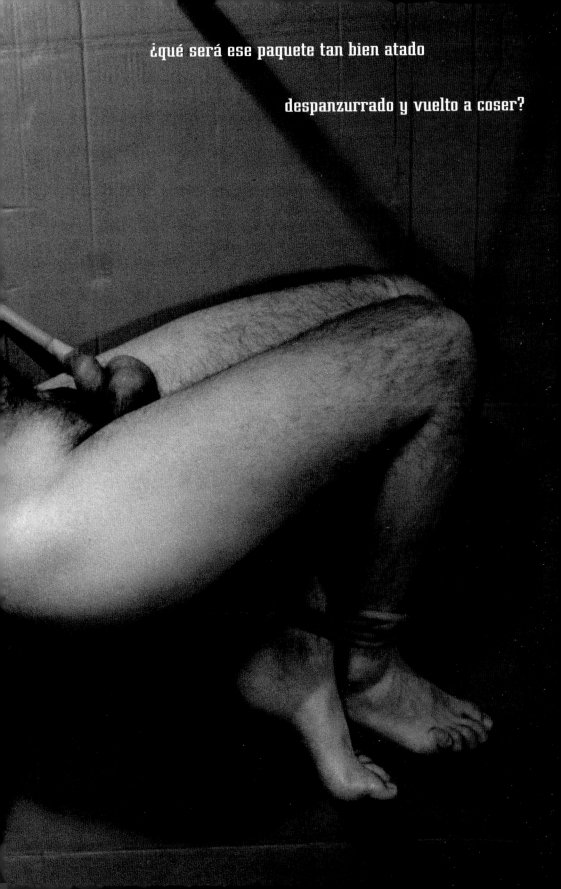

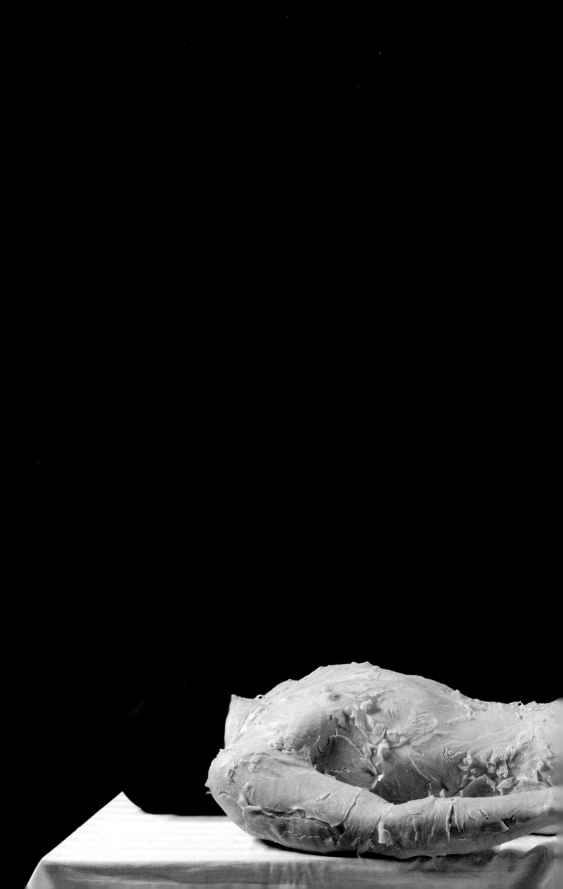

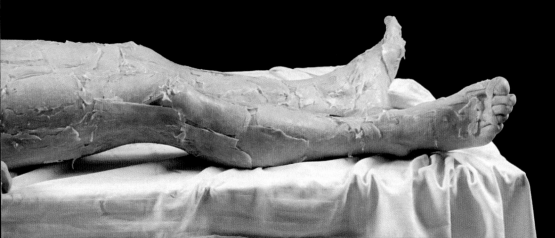

una noche esbaba atado a la pata de la cama de mi amigo.
soñaba dentro de un tubo sellado por ambos extremos
todo negro por dentro y carne por fuera que se mantiene conectada al fond

yo gritaba que nada me oía
la nada me oía

El deseo es circular y líquido
es una bolsa de carne que rezuma y tiene sed

primero llenar el odre
para después vaciarlo
por vejiga y conducto

Agua de las ofrendas
que se desborda

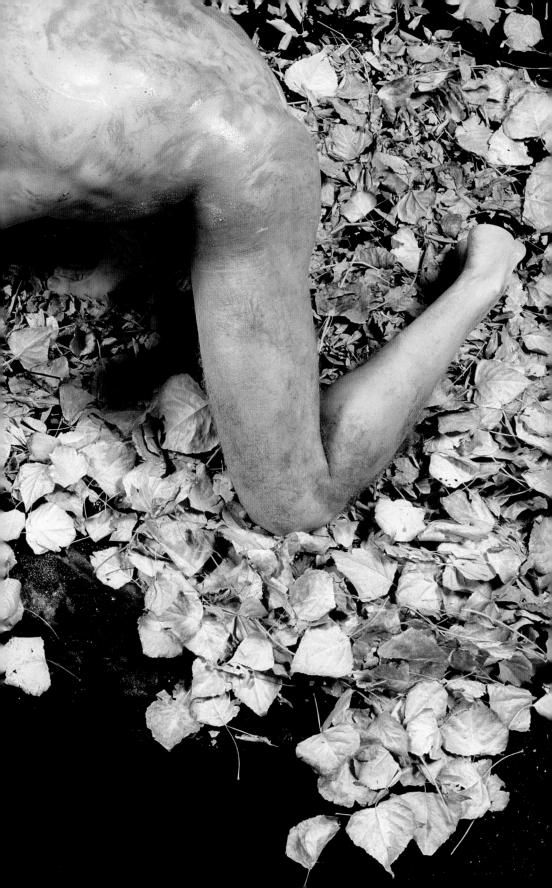

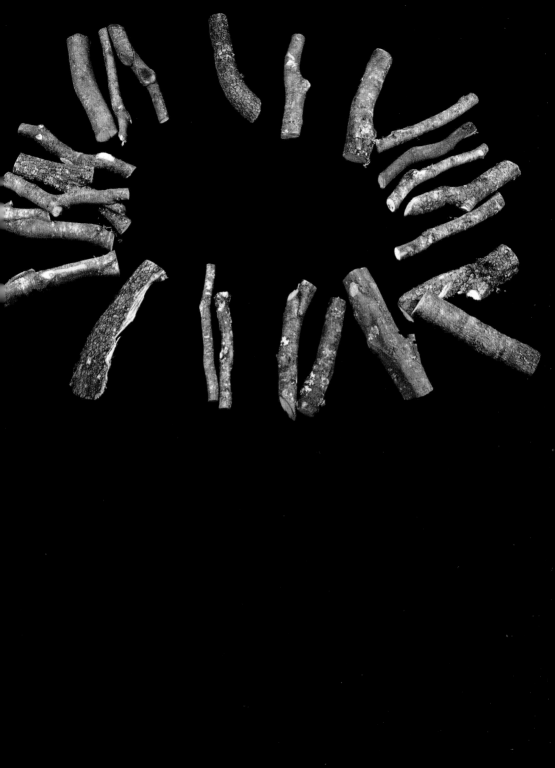

un tendón reseco y retorcido
cruje y sufre

¿será una máquina de carne?

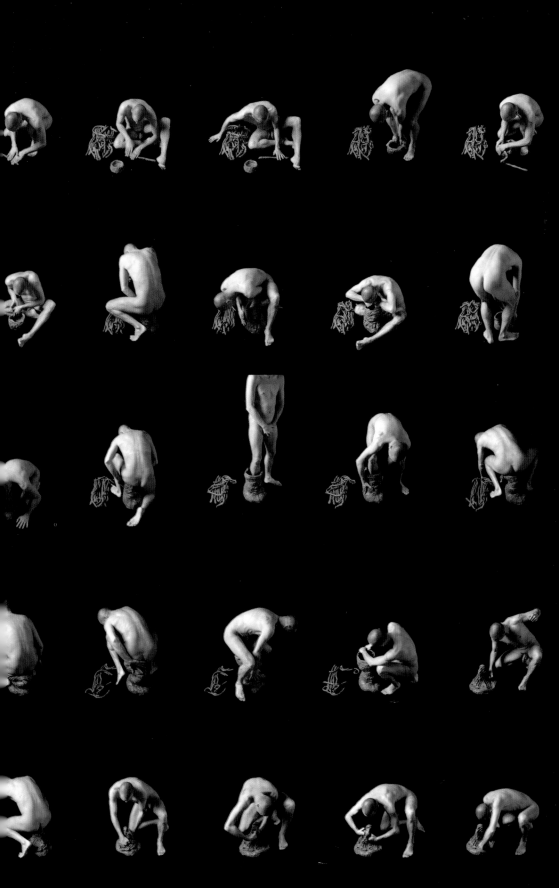

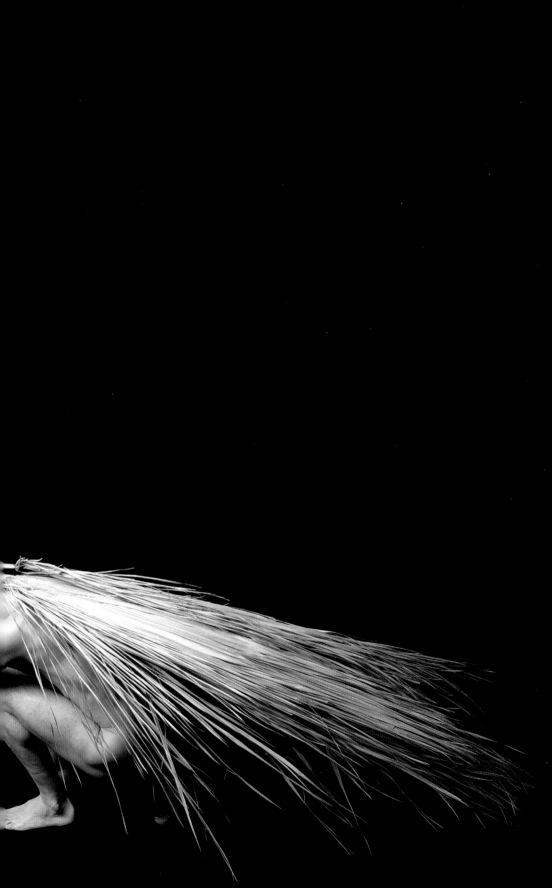

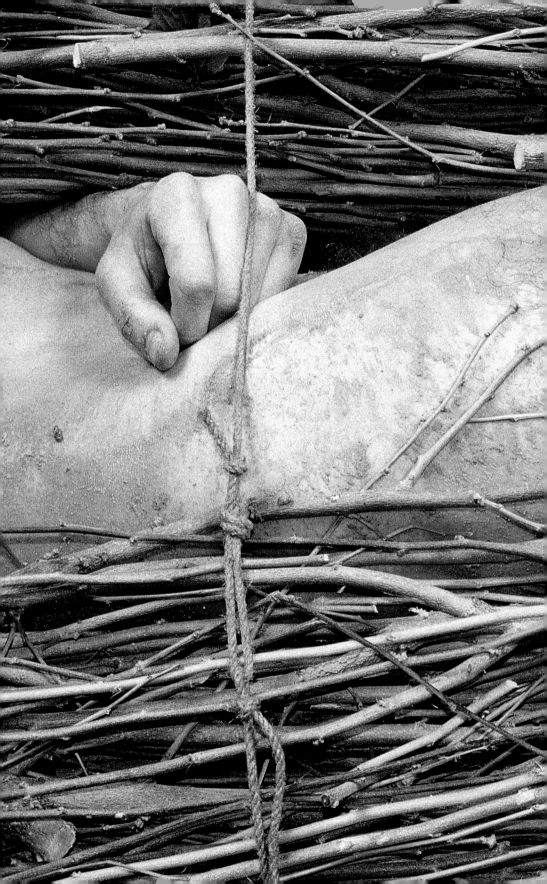

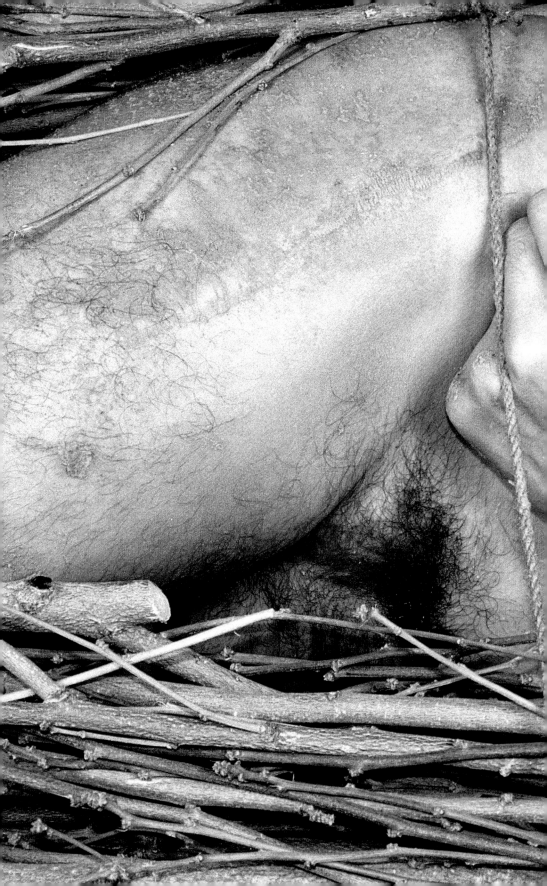

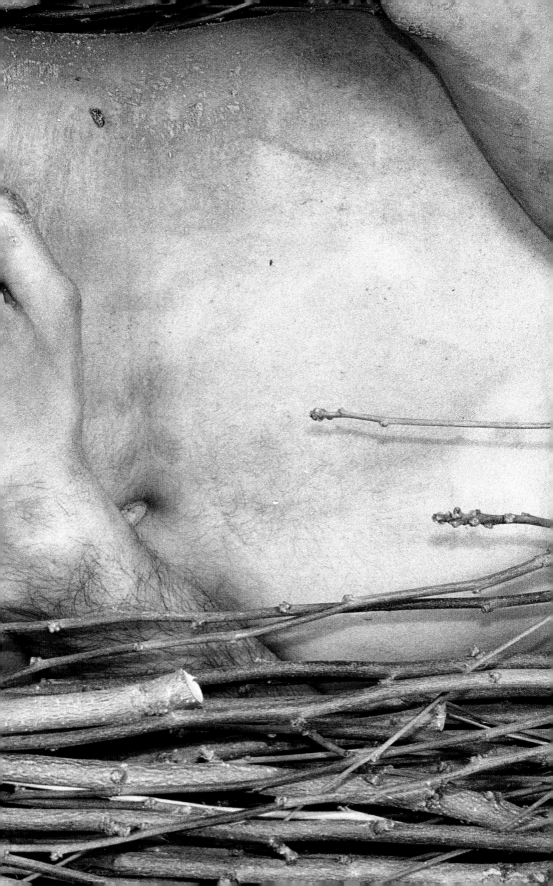

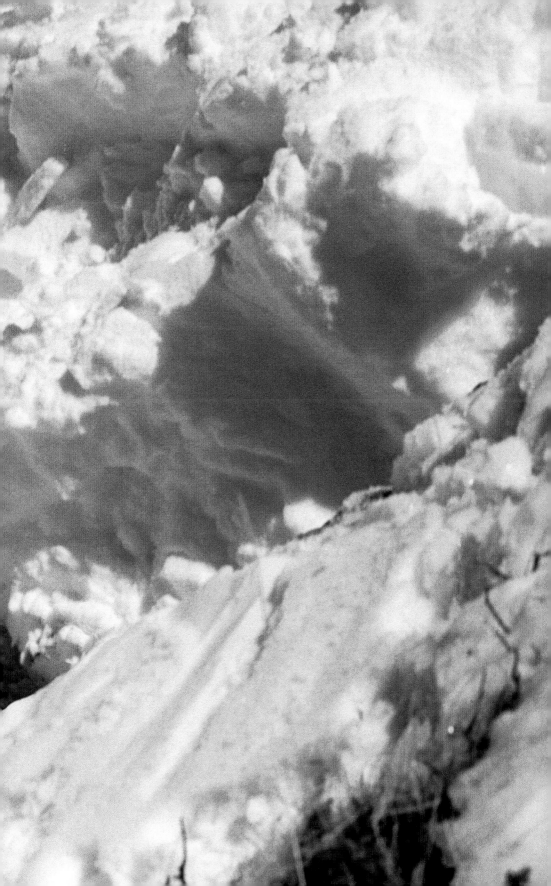

voluntad de riesgo
desear el límite y tocar la herida

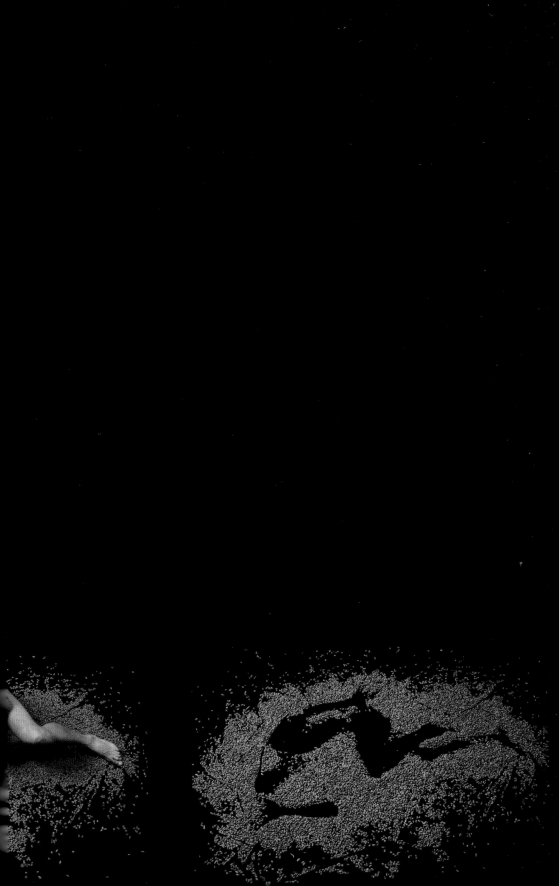

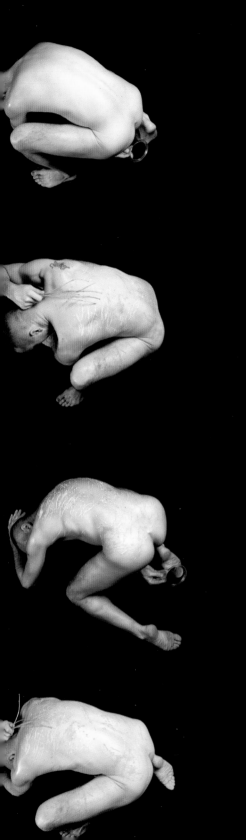

calígrafo cruel
Sísifo agotado
raíz colgada

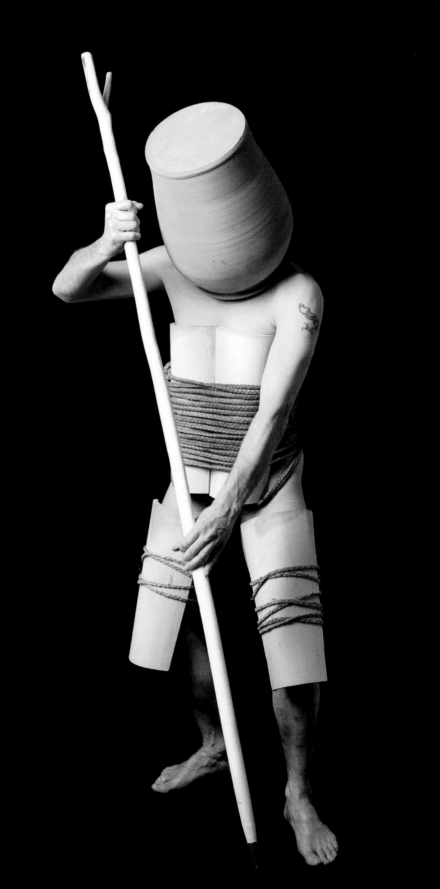

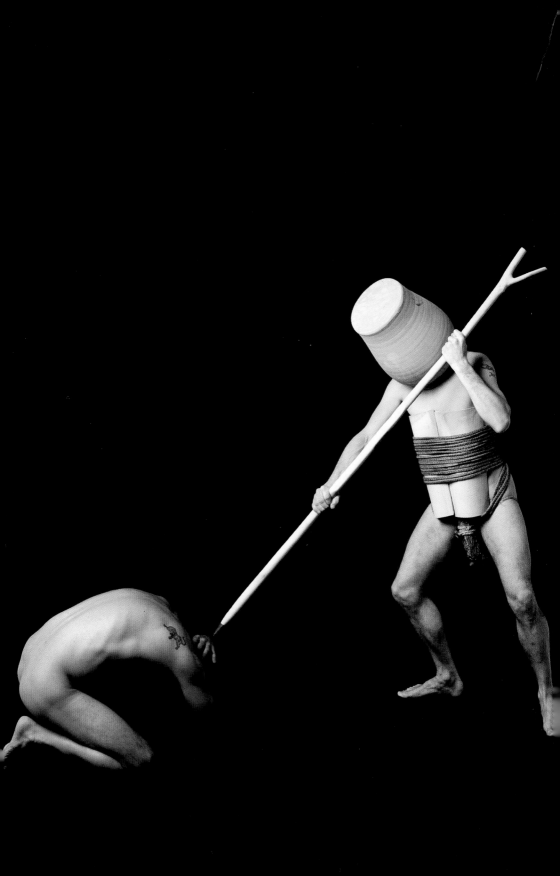

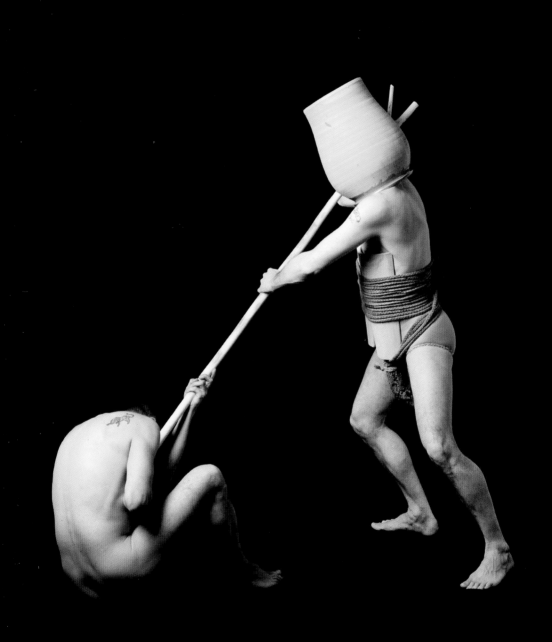

carne por fuera
que se mantiene conectada
al fondo

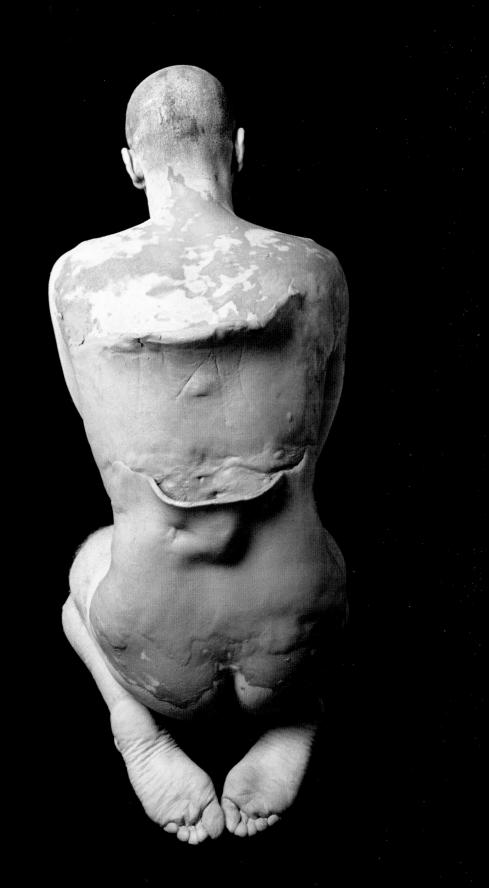

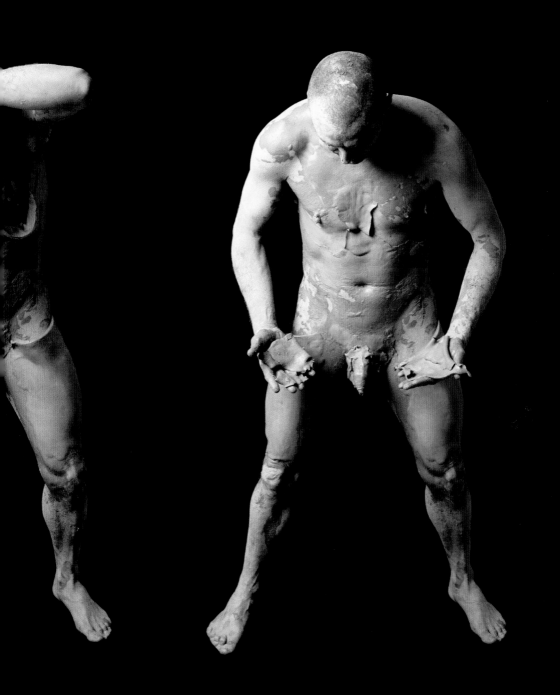

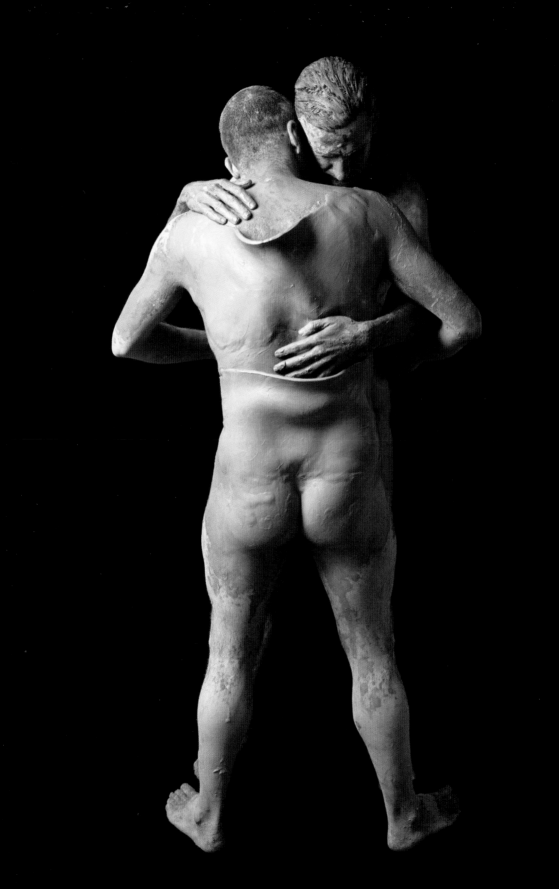

Entrevista con Alex Francés
por Gloria Picazo

Desde tus primeras obras a principios de la década de los noventa hasta hoy, pienso que hay en tu trabajo una referencia a lo que fue el body art *de la década de los sesenta. Tus acciones ante la cámara fotográfica para escudriñar tu propio yo, tu yo social o como en los últimos trabajos, tu relación con la naturaleza, hallan claros precedentes en propuestas como, por ejemplo y entre otras muchas, las de Gina Pane. ¿Cómo sitúas tu trabajo en relación a estos precedentes?*

Es evidente que mi trabajo se relaciona con los trabajos de mucha gente de los años 60/70, no sé si concretamente con Gina Pane, porque en el momento en que comencé a trabajar no conocía sus obras, pero sí había visto imágenes de los accionistas vieneses que me llamaron muchísimo la atención y sin duda me influyeron.

Creo que muchos de los trabajos de los años sesenta y setenta estaban enfocados sobre una idea general acerca de la desmaterialización del objeto artístico. Había una presencia muy performática y trabajo con el cuerpo, pero parecía que los objetos artísticos eran meros documentos acerca de lo que había sucedido. Intenté desde el principio distanciarme de esos trabajos, y en cierta medida apuntar algo distinto, teniendo una idea muy clara acerca de la obra final, es más la idea de crear una performance muy preparada y consciente, un trabajo sobre el cuerpo, de *body-art*, pero ya muy enfriado, es mucho menos instantáneo, aunque la raíz está ahí, pero el acto ya no pretende ser en ninguna medida real o espontáneo, es imagen, representación, ritual.

En un principio lo que me interesaba era la pintura, pero notaba que no me expresaba de manera real con eso, que ahí construía mundos ficticios y que buscaba algo bello, entonces no podía vincular mi experiencia personal con mi trabajo artístico, y encontré en la fotografía y el trabajo con mi cuerpo esa posibilidad.

An Interview with Alex Francés, by Gloria Picazo.

From your earliest work in the early nineties to your current work, I think I can see a reference to the so called Body Art of the seventies. Your actions in front of a camera, enquiring about your own self, your social self and, like in more recent works, your own relationship with nature, have a clear precedent in other people's works like, for instance, those by Gina Pane. How would you place your own work in relation to these previous references?

It's obvious that my work owes a lot to those artists who were working in the sixties and seventies; I am not sure about Gina Pane in particular, because I wasn't aware of her work when I first started. But I had seen images of Viennese action artists, which I immediately related to and who, no doubt, had an influence on my work.

I think that much work from the sixties and seventies were proposed in terms of this idea of the desmaterialization of the artistic object. There was a very strong presence of the body, very performative work, but it seemed that the art works themselves were less and less a record of what had taken place. From the start, I tried to distance myself from these works, to point, to some extent, in a different direction. I had a very clear idea of the final product, I aimed at a very finished and self-aware performance; more of a work about the body, body art if you like, but kind of cooled down, less improvised. But the root is the same, although the act itself doesn't aim at that spontaneity, that reality. It's more of a simulacrum, an image, a ritual.

At first, I was interested in painting, but I soon realised that I wasn't really expressing myself through it, I could not integrate my personal experience with my artistic work. I found this in photography and body work.

En numerosas ocasiones la propia historia del arte sigue siendo una fuente inagotable de sugerencias y de motivos de reflexión para los artistas. En tu caso, a parte de esas conexiones con el body art a las cuales ya hemos aludido y que a mi entender son una consecuencia lógica e inevitable para quien se interese por una reflexión sobre el propio cuerpo, en algún momento de tu trabajo han habido alusiones a la historia de la pintura, como aludía David Pérez en un texto de 1998. ¿Podrías comentarnos este aspecto y en qué medida la pintura barroca ha sido motivo de reflexión en tu trabajo?

Creo que te encuentras con esas cosas un poco después, aunque en casos muy concretos si que hay una idea muy deliberada, los otros son azares, coincidencias o lecturas posteriores. Es el mismo tipo de interés que encuentro en los accionistas vieneses o en ciertos trabajos de *performance* de los 70.

Con respecto a la historia del arte y el barroco pienso que las imágenes de la pintura religiosa y mitológica en cierto nivel de lectura se acercan sensiblemente a algunos trabajos de los años 60-70, aunque se sitúan histórica y estéticamente en otros parámetros, y es en ese sentido que se relacionan con mi trabajo porque todo lo que es relativo al cuerpo habla de la misma cosa.

Mucha pintura sobre martirios nos está hablando de cuerpos que se entregan al dolor y la humillación a causa de su fe. Nos muestran que son capaces de vencer los límites que el dolor nos impone a todos, con un coraje que nace de la fuerza de sus creencias, son en cierta forma y extrapolándolos mensajes de esperanza y me resultan muy interesantes porque ponen en juego nuestra mirada.

Me resulta muy interesante que hagas estos comentarios, pues precisamente antes que yo citaba a Gina Pane, creo que el hecho de establecer este acercamiento entre el propio cuerpo y algunas de las representaciones de la pintura religiosa de siglos anteriores, establece puntos de contacto entre vuestros trabajos. Pasando a otro tema, pienso que detrás de la concreción de cada obra existe –o al menos debería existir– un substrato que ya sea de una forma vital, es decir a partir de una perfecta conjunción entre arte y vida o bien de una forma intelectual, de acuerdo con unos intereses, referencias o coincidencias

In many occasions, I see History of Art as a never ending source of references and reflection for many artists. In your particular case, and apart from those connections with Body Art that I have mentioned already, and which are, in my opinion, a logical, inevitable consequence for those interested in a reflection about the body, there have been, in your work, moments when you actually aluded to the painting tradition, as David Pérez already mentioned in a text from 1998. Could you delve more into this, and to what extent Baroque painting has been a motif of reflection in your work?

I think that I tend to find out about all this afterwards, although in some particular cases, there was a deliberate idea; in other instances, it was mere chance and interpretationss made a posteriori. It's the same interest I find in Viennese action artists or performative works from the seventies.

And as for History of Art and the Baroque period, I find that some of the iconography in religious painting and mythological works, share a sensibility with performative works from the sixties and seventies, although with different historical and aesthetic parameters. In this sense, they relate to my work because everything to do with the body is talking about the same thing.

Much painting where martyrdom is the subject, is telling us about bodies that surrender to humiliation and pain because of their faith. They are proof that we can stretch the limits that pain imposes on us, thanks to a courage that comes from the strength of our beliefs. They are, in a certain context, a message of hope, and I find them very interesting because they question our own view.

I find your comments very interesting, because when I mentioned Gina Pane earlier, I was just thinking of this connections between our own bodies and the religious paintings of past centuries, and how this was something that both yousr and her work have in common. In a different order of things, I think that, behind the specificality of any particular work, there is —or at least, there should be— a root that, be it in a more vital way (a perfect harmony between Art and Life), or from a more intellectual position, and in accord with interests, references or by mere chance, comes from other fields,

procedentes de otros campos de la cultura, sirva para orientar una trayectoria artística ¿Cuales son en tu caso las bases que enriquecen y consolidan este substrato?

Indudablemente hay un substrato que es la vida personal, por eso existe esa elección de la automirada, de buscar en mis propias experiencias y esa sería la raíz. Pero luego hay una ida y vuelta, porque al crear te das cuenta de que tu trabajo está impregnado de referentes que puedes encontrar en un montón de sitios, pero la reflexión es a posteriori. No es tanto un programa de carácter intelectual y su representación, con unas ideas muy claras, sino que es algo mucho más complejo, personal, e íntimo que luego se traslada a la creación de una especie de ritual curativo, de investigación o de introspección.

Mis fotos no hacen solamente referencias estéticas de la pintura del barroco o la pintura simbolista del XIX, hay en ellas un reconocimiento de su poder, y un deseo visceral de responder a ellas.

El libro de Bram Dijkstra, *Idolos de perversidad*, acerca de las representaciones del cuerpo de la mujer en el siglo XIX, es un referente en mi obra. En él se analiza el valor de esas imágenes y su capacidad de hacer política, no solo en el estricto sentido del término sino política del cuerpo, y como esto puede haber llegado a influir en las relaciones entre los hombres y las mujeres. Leyendo ese libro se me hacía absolutamente necesario, no el recrear las imágenes del siglo XIX, sino intentar darle la vuelta a las mismas y ver que nos podrían aportar. Hay un deseo de compensación, por ejemplo, *El cuerpo de Cristo muerto en la tumba* de Holbein, me parece interesante porque lo que hace es desmitificar el cuerpo de Cristo y mostrárnoslo simplemente como si fuera un cadáver, yo quiero ir más allá, quiero borrarle el rostro a Cristo, descomponerlo... ya no es un hombre, ni cadáver, es masa de carne.

Y con respecto a las ofelias, narcisos, mujeres abandonadas en el bosque u otras imágenes del XIX, sustituyo el cuerpo de la mujer por un cuerpo masculino. No es el deseo de identificarse con el cuerpo de la mujer ni tampoco trasvestir en sentido inverso estas imágenes, sino intentar edificar una virilidad que pase por las experiencias de la feminidad, a través de las representaciones de la historia del arte creadas por la visión masculina. Hay un deseo de pasar por donde

and it helps on the understanding of a particular artistic trajectory. Which are, in your particular case, the references, the roots that enrich and reinforce your work?

Of course, there is a strong root that is my own life and my personal experience: that is why there is an emphasis in the self-regard, in searching into my own experiences. This would be the root. But then, it all comes back in a circle, because when you are working, you realise that references come from all kinds of sources, but the analysis is only possible afterwards. It is not so much about an intellectual agenda and its representation, with very clear ideas, but something far more complex, personal and intimate, that is eventually translated into some sort of ritual, be it healing, of research, or of introspection.

My photographs are not only a reference to Baroque painting or to XIX Century Symbolist painting; there is an intrinsic acknowledge of their power, a gut wish to respond to them.

Bram Dijkstra's book Idols of Perversity, *is about the representation of women's bodies in the XIX Century, and a reference in my work. In it, he analyses the value of these images and their political power, not only in the more obvious sense of the word, but also in that of body politics, and how they have influenced the relationship between men and women. When I was reading this book, I found absolutely necessary not just to recreate these images, but to try and subvert them, see what they could give us back. There is, for instance, a wish of compensation in the image of the dead Christ in Holbein's painting, he desmystifies it, in a way I find interesting, because he shows it as just a corpse. But I would like to go beyond that, deconstruct it. It's not merely a man any more, nor a corpse, it's just a mass of flesh.*

And as for all those Ophelias, Narcissus, women abandoned in the wood and other XIX century images, I just substitute the woman's body for a man's. I'm not only trying to identify with the woman's body, nor do I wish to read these images merely as a drag act, but what I am trying to do is to construct a masculinity that includes the experience of femininity, as seen through the eyes of men in the History of Art. I have a desire to go through what these

ellas han pasado, es decir, que si la mujer ha sido vista como un cuerpo abandonado, muerto, inerme, ofrecido a la sexualidad prepotente masculina, yo quiero hacer lo mismo con el cuerpo del hombre. Intento elogiar la pasividad, sacar de esa clase de experiencia algún tipo de valor, reivindicar esa actitud como viril.

En tu obra ha habido y sigue habiendo con gran insistencia el deseo de sacar a la esfera de lo público determinados aspectos de tu privacidad. El hecho de que a menudo tú mismo seas el protagonista de tus imágenes, creo que constata este deseo. ¿Podrías comentarnos cómo analizas tú este ejercicio de "desnudez" física y psíquica que ejerces a través de tu obra y que en definitiva apunta el tema del narcisismo en el arte?

En mis imágenes, si bien me muestro yo, intento ocultar el rostro y eludir la mirada. Creo que la mirada es muy sadiana, duele y hace daño. Mi intención en no mostrar el rostro es la de crear un cuerpo que se ofrece, que no intenta agredir con su yo y un cuerpo que se ofrece muestra sus heridas y sus agujeros secretos.

No estoy haciendo un ejercicio narcisista autocomplaciente y masturbatorio de mi privacidad, aunque use aspectos privados de mi vida. Utilizo mi propio cuerpo como palabra y expresión, y a veces lo someto a actos impúdicos y humillaciones a las que no podría someter a otros, a no ser que me lo pidieran.

Si no hubiera primero un acto de desnudez de la privacidad y una transgresión de sus límites, la experiencia individual no se podría trasladar a lo colectivo.

Debido a este uso de mi privacidad en mi obra se me ha acusado en multitud de ocasiones de narcisista y creo que el narcisismo tiene aspectos positivos y negativos. Podemos quedar absortos en un estado autocomplaciente del yo o iniciar un camino de búsqueda.

El espejo refleja, es una trampa fluida y también una puerta a un país soñado, es un lugar ambiguo y peligroso, todas estas prácticas narcisistas que se prodigan en el arte contemporáneo han cobrado mucha fuerza por la presencia de la fotografía y del vídeo. Las imágenes por fin parecen verdaderos espejos en dos direcciones y si el arte es un espejo, los artistas, los críticos y el público por definición somos todos narcisos enamorados de ese sueño.

women went through, that is, if the woman is seen as a rejected, dead, passive body offered to a rampant male sexuality, I want to do the same with the male body. I'm trying to praise that passivity, get a sense of worth out of the experience, claim back that attitude as a virile one.

There has been, and still is, a great emphasis on bringing certain aspects of your private life out into the public sphere, in your work. The fact that you often are the subject in your photographs, proves, I think, my claim. Can you tell us how you analise this exercise in nudity, both physical and of the psyche, that you express through your work, and which, eventually, points at the subject of narcissism in Art?

Although I actually appear as a subject in my pictures, I always try to hide my face and avoid eye contact. I think that eye contact is a very Sadean thing, it hurts and causes pain. My intention, when I decide not to show my face, is to create a body that offers itself with no sign of aggression, a body that, when offering itself, is showing its wounds, its secret orifices.

It is not just a complacent, narcissistic, masturbatory show out of my privacy, even when I am using private aspects of my own life. I use my own body as language, as expression, at times forcing it to rude acts and humiliations that I could not force anybody else to do, unless, of course, they asked me for it.

If there wasn't an act of exposing my privacy first, and then a transgression of its own limits, the personal experience could never be translated into something collective, commonly shared.

Due to this use of the private in my work, I have often been accused of being narcissistic, and let me say here that in my opinion, narcissism has positive as well as negative aspects. We can choose to remain in a self-pleasing state, or we can use it as a starting point for a deeper search.

A mirror reflects, is a fluid trap, but it's also the door towards an imaginary paradise, an ambiguous, dangerous place. All those narcissitic practices, so popular in contemporary Art, have become a very strong trait due to the paramount presence of photography and video. Images are, at the end of the day, two-way mirrors, and then, if Art is also a mirror, then the artists, the critics and the public itself are, as a definition, narcissus in love with this reverie.

Usemos los espejos para tomar la medida de nuestra fealdad, de nuestra banalidad, pero también para reconocer todo lo bueno y bello que hay en nosotros. El espejo puede ser un lugar para la compasión, un medio útil para la empatía y el conocimiento del yo y los otros, pero también se puede convertir en una escuela del ego, un lugar vacío, eterno y muerto. Todos nos movemos por las fuerzas ambivalentes del deseo. En mi trabajo, lo que he buscado es encontrar y forzar los límites de un cuerpo marcado por el dolor y el placer, para reconocer y sanar sus heridas, para deformarlo y abrir sus posibilidades.

Pero aunque el arte pueda ser un lugar para el reconocimiento y la reflexión, un espacio para el aliento y la esperanza, no es el aliento mismo, las imágenes son algo tan escurridizo como el agua en la que se mira Narciso.

Considero, sin embargo, que esta actitud no es la única que prevalece en tu trabajo, si no que al mismo tiempo existe una clara voluntad de proclamar un determinado posicionamiento crítico ante determinados aspectos de la sociedad actual, y muy concretamente ante todo lo que concierne a la sexualidad masculina, la homosexualidad y la homofobia. Desde tu obra has abordado este tema, a veces con propuestas que podían producir cierto malestar y a veces de forma quizás más encubierta ¿Cómo analizas esta cuestión desde tu opción personal?

Es cierto en gran parte pero no del todo, en estas imágenes a las que aludes, mis primeras intenciones al crearlas no eran tanto políticas como estéticas, en el sentido de analizar el cuerpo como una máquina de carne con tubos que relacionan unos cuerpos con otros, o creando circuitos cerrados, pero no había una intención de carácter exclusivamente político. Lo que ocurre es que si era sincero y trabajaba con mi propio campo personal de experiencia, el homoerotismo tenía que aparecer ahí. Posteriormente esas imágenes han sido leídas correctamente desde un punto de vista político por personas muy concretas como Juan Vicente Aliaga.

Al darme cuenta de que esas imágenes podían leerse de esta manera y coincidiendo con una escasa aunque significativa salida del armario en este país, sentí que tenía que contribuir mediante imágenes y contestar en ocasiones de forma clara y rotunda ante ciertas agresiones, como en *Perdiendo aceite* (1996).

*Let's use mirrors to measure our own ugliness, our own bana-
lity, but also to recognise what is good and beautiful in ourselves. The
mirror can be a place for compassion, a useful tool for empathy, for
getting to know ourselves and the other, but it also runs the risk of
becoming a school for the ego, an empty, eternal, dead place. We all
are driven by the ambivalent force of desire. In my work, I am always
trying to find, to stretch the limits of a body constituted by pleasure
and pain, to acknowledge and heal its wounds, to distort it and open
it up to new possibilities.*

*But, although Art can be a place of acknowledgement and
reflection, images are, by nature, as slippery as the waters where
Narcissus watches his own face.*

I think, though, that this is not the prevalent attitude in your
work, that there is another one, a will to express a specific, critical
position to certain aspects of current society, and in particular, to male
sexuality, homosexuality and homophobia. Your work deals with all
these issues, using arguments that may have caused certain degree of
discomfort, and other times in a more undercover way. How would
you, from your personal position, analyse this?

*That is in many ways true, but it's not the only truth in those
pictures that you are referring to. My first intention was more aesthetic
than political, in terms of the body as a machine with tubes and
pipes that connect to other similar bodies, or a machine that creates
its own closed circuit, but not with an exclusively political intention
in mind. What happened was, if I was to work with my own body,
and from the perspective of my own personal experience, homo-
eroticism would be present. Eventually, some people like Juan
Vicente Aliaga, have made a correct reading of those pictures, at
least from the political point of view.*

*When I realised that these images could be read in a certain way,
and just in perfect timing with a small, but significative trend towards
getting out of the closet in this country, I felt that I, too, had to do my
bit with my pictures and had to answer back, clear and forcefully on
occasions, to a certain amount of aggression, such as is the case in my
work* Perdiendo Aceite *(1996).*

¿Podrías tratar de inscribir esta posición personal que acabas de describirnos en el marco de una de las preocupaciones que más se ha prodigado en estos últimos tiempos en el arte contemporáneo, como es la revisión de aquellos problemas que afectan el tema de los géneros?

Lo que me interesa de la cuestión de los géneros es revisar la idea de la masculinidad. Pretendo ennoblecer un cuerpo masculino pasivo y reivindicar como viril el placer anal homosexual, ya que existe una determinada idea acerca de las relaciones de sometimiento o dominación, que sobrevalora las actitudes activas y las asimila exclusivamente con la virilidad, y desprecia las actitudes pasivas.

A partir de lo que acabas de afirmar y de la responsabilidad que conscientemente asumes, me gustaría que nos comentaras cómo asumes tú la posibilidad de que algunos de tus trabajos sean entendidos como una provocación, puesto que conllevan ese deseo de repercusión social y pretenden conseguir una cierta transformación social ante determinados temas que la sociedad todavía hoy sigue viendo con todo tipo de reparos.

En ese sentido pudiera parecer que mis imágenes han buscado esa repercusión social por medio de la provocación o de crear imágenes fuertes, pero si esa era la intención, no lo han logrado. En el momento en el cual se presentan estas imágenes hay una intención de corrección política en todos los campos, incluido en el del arte, lo que ha hecho que mi trabajo no haya producido las reacciones que se suponía, sino que se ha obviado y mirado con indiferencia en muchos medios.

A mi se me ha censurado no por medio de la censura, sino por medio de no aparecer ni en las exposiciones ni en las publicaciones y eso me ha ocurrido varias veces. En algunos casos ha sido la censura la que ha motivado el escándalo y con ello una gran repercusión y difusión de las imágenes censuradas de determinados artistas.

Sin embargo mis imágenes, que podría leerse que pretendían esa estrategia de la provocación, no tuvieron ese resultado. Solo consiguieron cierta repercusión en lugares donde era lógico que la tuvieran y que eran los únicos que me permitían exponerlas: publicando posters para el colectivo Lambda, fotos en revistas gays y en pequeñas exposiciones montadas por críticos muy concretos como Pepe Miralles o David Pérez.

Can you tell us about this personal position you have just mentioned, being an issue that has been dealt with extensively for the last years, as is the issue of gender, within the context of contemporary Art?

What I find interesting about gender issues is the subject of masculinity revised. My intention is ennobling the passivity in the male body, to reclaim homosexual anal pleasure, because there is a preconceived idea about submission and domination relationships, one that overvalues active roles, relating them to masculinity, but despises passive roles.

For what you have just mentioned, and from the responsibility that you consciously assume, I would like you to tell us how you take the fact that some of your works may be read as a provocation, since they aim at a certain social repercussion, as well as trying to create a social change towards certain issues that our society still see with prejudice.

In this sense, you may say that my pictures were trying to have an effect through the use of provocation or deliberately controversial images, but if that was their intention, well, I haven't achieved it. From the moment these pictures are shown, there is an intention of political correctness in all fields, Art included, and this has caused my work not to provoke the reactions expected, but it has been slighted and ignored in some media.

I have been censored, not with straightforward censorship, but by not appearing neither in exhibitions nor in publications, and this has happened several times. In other occasions, it has been the censorship itself that caused the scandal, and with it, a greater diffusion of the censored works by some artists.

My images, although they could be understood as sharing this strategy, never achieved that result. They had some repercussion in certain places where it was expected that they would, and that happened to be the only places where they were allowed to exhibit them: pictures for the Lambda Collective, in gay magazines and small exhibitions organised by certain critics, such as Pepe Miralles and David Pérez.

Volviendo de nuevo a tus obras, quisiera que nos hablaras de la selección de los títulos, puesto que creo que además de ser una especie de clave enigmática para introducirnos en los contenidos de las mismas, conllevan en algunos casos una fuerte carga semántica que también incide en los contenidos críticos de tus obras ¿Es así?

Intento tener presentes todas las posibilidades que ofrece el trabajo artístico, por un lado está la obra, por otro el título que tiene tanta importancia como la obra. Por otra parte está la edición de catálogos, que me parece un trabajo muy importante y que he cuidado mucho, porque todo son espacios diferentes que cumplen funciones distintas y ayudan a "leer" la obra. He intentado complementar imagen y palabra, intento que sea una parte más, que el título no cierre o determine la obra, sino que más bien la abra a nuevas posibilidades. El título no quiere ser tanto la explicación de la obra, sino que quiere ser un añadido más, una última pieza de las muchas que conforman la obra.

A partir de 1998 has ido abandonando esos espacios interiores, claustrofóbicos, casi sepulcrales en algunos casos, para situarte en un principio en espacios indefinidos y ya al poco tiempo abrirte sin reservas a los espacios naturales. A parte de que exista el deseo de relacionarte con la naturaleza –ello parece obvio– me gustaría que nos hablaras de lo que ha supuesto en tu obra el hacer este paso, en un sentido metafórico de lo interior a lo exterior.

Si consideramos que cada uno de los trabajos que hago son pequeñas representaciones simbólicas que parten de la experiencia personal y que quieren servir como una cura o "terapia", es lógico pretender que haya una evolución. No es solamente pasar de un espacio claustrofóbico a un espacio natural o abierto, sino de buscar las posibilidades simbólicas o metafóricas de esos escenarios en relación con los síntomas o problemas que me suceden o preocupan.

Mi pieza de 1993 "Escucha la voz de Buda" está en un espacio abierto pero es claustrofóbica y asfixiante. Había un deseo de cumplir un ciclo, de disgregar el yo para reconstruir una nueva imagen de mí mismo. En esta pieza el cuerpo se ve envuelto por una cuerda que entra por un extremo y sale por el otro, es una imagen doble en la cual se muestra el autoenvolvimiento y la claustrofobia, pero al mismo

Back to your work again, I would like to ask you now about your choice of titles, because I think that they are not only an enigmatic key to the work's contents, but they have also a strong semantic charge that appears also in your pictures' critical contents. Am I right?

I try to keep in mind all the possibilities that the artwork offers. On the one hand, there is the work itself, on the other, the title, as important, to me, as the artwork itself. Then there is the catalogue, a work I consider very important and I approach every aspect very carefully, because they are all different spaces with different functions, and they all help on the "reading" of the work. I tried to make pictures and words complementary, make the title another side of the work, not closing its meaning, but open it up to new possibilities. The title is not so much a way to explain the work, but another side to it, another piece in the many pieces that constitute an artwork.

Since 1998, you have abandoned those claustrophobic interiors, almost sepulchral in many cases, to start using, first, undefined spaces, and almost immedaitely after youstarting showing, without qualms, natural spaces. Apart from the fact that you may actually have a desire to relate to Nature –which seems obvious–, I would like you to tell us what has meant in your work to take this leap, from the interior to the exterior, in a metaphoric way.

If we start from the fact that each one of my works is a little symbolic representation born of my own personal experience, and that they aim at being some sort of healing or therapy, it's only logical to find an evolution. It's not only about getting from a closed, claustrophobic space and into an open, "natural" space, but to try and explore all the symbolic possibilities of the metaphor, in terms of the issues and problems that worry or affect me.

In one of my works of 1993, Escucha la voz de Buda, *there was this wish to complete a cycle, to take myself to pieces in order to build a new image of me. In this work, you can see a rope that surrounds the body, enters it trough one end and comes out through another one, it's an image that shows the self-wrapping and claustrophobia, but that at the same time connects with this idea of the thread, a silk*

tiempo se conecta con la idea de hilo, como un hilo de seda. Es como si fuéramos una especie de paréntesis en una línea de texto, como si nuestra vida fuera un paréntesis en una línea que no tiene principio y no tiene final. Esto se enlaza con mitos, ideas o sentimientos de carácter religioso y espiritual.

En *Escucha la voz de Buda*, detén tu sericultura, el detener el proceso de autoenvolvimiento significa que tiene que haber un momento en el que el capullo termina y la mariposa tiene que salir hacia el exterior, ir más allá.

Y eso es lo que me queda por hacer, por que tengo la sensación de que con esta exposición de Luis Adelantado se cierra un ciclo y comienza otro.

Al margen de quejas y lamentaciones que siempre suelen surgir cuando hablamos de la situación del arte español, quisiera que nos dieras tu particular visión del tema, como opción personal, pero también con la ineludible responsabilidad que comporta estar trabajando en este ámbito de la cultura actual.

Yo acabo de venir de la Bienal de Venecia, y creo que en España estamos totalmente integrados dentro del sistema internacional del arte y que hay unas corrientes que prevalecen y que al final son muy pocas. Cada país tiene representantes de cada una de estas tendencias, y casi que cada ciudad también los posee, y al mismo tiempo cada galería intenta también tener el repertorio completo.

Desde luego hay una tendencia hacia lo frívolo, el *glamour* y una fascinación por las nuevas tecnologías y por impactar a los espectadores. Al margen de esto se mantienen las tendencias de siempre y una escasa representación de opciones más personales, aunque la pintura prácticamente ha desaparecido y eso me parece triste.

El mundo del arte internacional se parece cada vez más al mundo de la moda, con su *star-sistem* y sus estrategias de publicidad y venta, lo que sumado a la tendencia cada vez más clónica de las políticas culturales que se están desarrollando a nivel internacional, en las que se valoran los eventos artísticos por su repercusión mediática y por la cantidad de gente y de negocio que mueven, más que por sus propios valores, lo que acaba por ofrecernos un panorama estético de parque temático cultural.

thread. It's as if we were a parenthesis in a paragraph, as if our own life was but a parenthesis in a sentence with no beginning and no end. This all relates to myths, ideas and feelings of a religious, spiritual nature.

In Escucha la voz de Buda, detén tu sericultura, *to stop this process of self-wrapping means that there must be a moment when the cocoon is finished and the butterfly has to come out and go beyond its limitations.*

And this is exactly what is left for me to do, because I have this feeling that, with this exhibition at Luis Adelantado, a cycle comes to an end and a new one begins.

Apart from the usual moaning and complains, inevitable when we talk about the situation of contemporary Art in Spain, I would like to ask you for your personal view in the matter, as a personal option, but also with the responsibility that brings the fact that you are working in this particular field of current culture.

I have just come back from the Venice Biennale, and I think that in Spain we are perfectly integrated within the current International contemporary Art context, and that there are certain widespread trends, with very few choices at the end of the day. Each country has its own representatives of each of these trends, almost each major city has them. And certainly each gallery tries to have this repertory represented. There is, indeed, a trend for frivolity, for glamour, a fascination with new technologies and a wish to make an impact on the public. Apart from all these, there is still place for more traditional trends, and a very small presence of more personal options. Although painting has virtually disappeared, and I think this is sad. The international Art scene is beginning to resemble more and more the fashion world, with the same star-system, advertising and sales strategies. If we add to this a tendency to cloning cultural politics at an international level, where!

Art events are rated according to their impact on the media and the amount of public and business they attract, and not for its inherent values, then all that there is on offer is little else than a cultural theme park.

Alex Francés 1993-2001

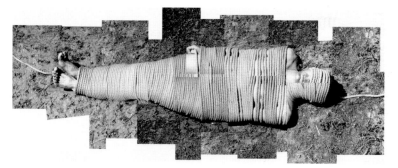

Fotomontaje, 60 x 100 cm., 1993. Copia única.

malferits

Boceto de papel pintado para una instalación. Dimensiones variables. 1996.

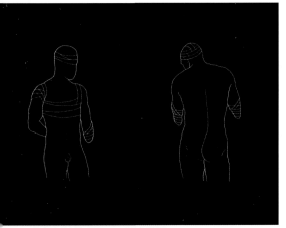

amantes

oceso digital, 80 X 120 cm., 1993-2001.
ición de 3 copias.

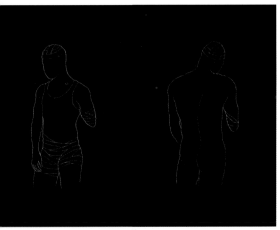

bañistas

oceso digital, 80 X 120 cm., 1993-2001.
ición de 3 copias.

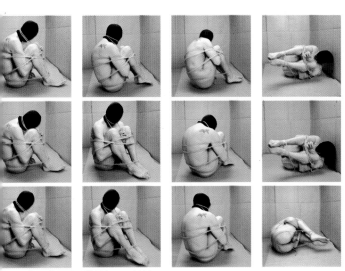

zarajo

tografia color, 135 X 160 cm., 1996.
ición de 3 copias.

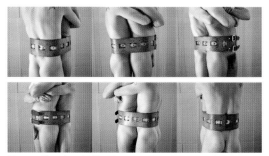

cincha con gemas

Fotografía color, 40 X 150 cm. y 40 x 150 cm., 1996. Edición de 3 copias.

...y a su frío respondo como un niño asustado: me meo, me meo

Fotografía color, 50 X 75 cm., 1996. Edición de 3 copias.

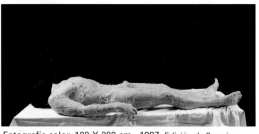

cristo corrupto

Fotografía color, 100 X 200 cm., 1997. Edición de 3 copias.

beso a beso

Fotografía B/N, 45 X 60 cm., 1993. Edición de 3 copias.

las presas

Fotografía B/N, 120 X 80 cm., 1993.
Edición de 3 copias.

domesticar el deseo

domesticar el deseo

Fotografía B/N, 120 X 80 cm., 1997.
Edición de 2 copias.
Fotografía B/N, 24 X 18 cm., 1997.
Edición de 2 copias.

Fotografía B/N, 120 X 80 cm., 1997.
Edición de 2 copias.
Fotografía B/N, 24 X 18 cm., 1997.
Edición de 2 copias.

entre charco y torrente

entre charco y torrente

Fotografía B/N, 50 X 75 cm., 1997. Edición de 2 copias.
Fotografía B/N, 120 X 180 cm., 1997. Edición de 2 copias.

Fotografía B/N, 30 X 40 cm., 1997.
Edición de 3 copias.

los durmientes

Fotografía B/N, 80 X 120 cm., 1997. Edición de 2 copias.
Fotografía B/N, 30 X 40 cm., 1997. Edición de 2 copias.

los durmientes

Fotografía B/N, 80 X 120 cm., 1997. Edición de 2 copias.
Fotografía B/N, 30 X 40 cm., 1997. Edición de 2 copias.

dedos de muerto

Fotografía B/N, 80 X 120 cm., 2000. Edición de 3 copias.

tríptico de los improperios

Fotografía b/n, 135 X 178 cm., 135 X 178 cm. y 135 X 178 cm.,1997. Edición de 2 copias.
Fotografía b/n, 30 X 40 cm., 30 X 40 cm. y 30 X 40 cm.,1997. Edición de 2 copias.

quiero estar dentro de ti

tografía color, 120 X 80 cm., 1996.
dición de 3 copias.

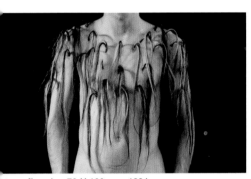

fluencia

tografía color, 70 X 100 cm., 1994.
dición de 3 copias.

dolor inútil

tografía B/N, 50 X 70 cm., 2000.
dición de 3 copias.

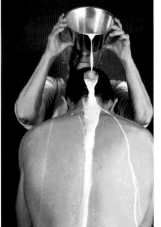

la cierva

Fotografía color, 120 X 80 cm. y 120 X 80 cm., 1994.
Edición de 3 copias.

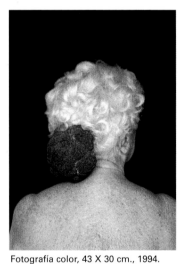

padre desarbolado

Fotografía color, 43 X 30 cm., 1994.
Edición de 3 copias.

la sed

Fotografía color, 120 X 80 cm., 1998.
Edición de 3 copias.

en sazón

Fotografía color, 135 X 75 cm., 1998.
Edición de 3 copias.

sitiar el deseo

Fotografía color, 100 X 135 cm., 1998.
Edición de 3 copias.

la ciudad interior

Fotografía color, 100 X 135 cm. y 100 X 135 cm., 1998.
Edición de 3 copias.

baño de lágrimas

Fotografía color, 100 X 135 cm., 1998.
Edición de 3 copias.

baño de lágrimas

Fotografía color, 100 X 135 cm., 1998.
Edición de 3 copias.

caldo de infierno

Fotografía color, 100 X 135 cm., 1998.
Edición de 3 copias.

caldo de infierno

Fotografía color, 100 X 135 cm., 1998.
Edición de 3 copias.

lomos cansados y esbeltos

Fotografía color, 100 X 135 cm., 1998.
Edición de 3 copias.

la chorrera

Fotografía color, 80 X 65 cm., 1998.
Edición de 3 copias.

tumba abierta

Fotografía color, 135 X 100 cm. y 135 X 100 cm., 1998.
Edición de 3 copias.

nueva vida

Fotografía color, 120 X 158 cm., 1998.
Edición de 3 copias.

despojos

Fotografía color, 120 X 158 cm., 1998.
Edición de 3 copias.

la fuente del trigo

Fotografía color, 80 X 120 cm., 2000.
Edición de 3 copias.

n las entrañas

erie de 11 fotografías color, 75 X 100 cm., 1999. Edición de 2 copias.
erie de 11 fotografías color, 30 X 40 cm., 1999. Edición de 2 copias.

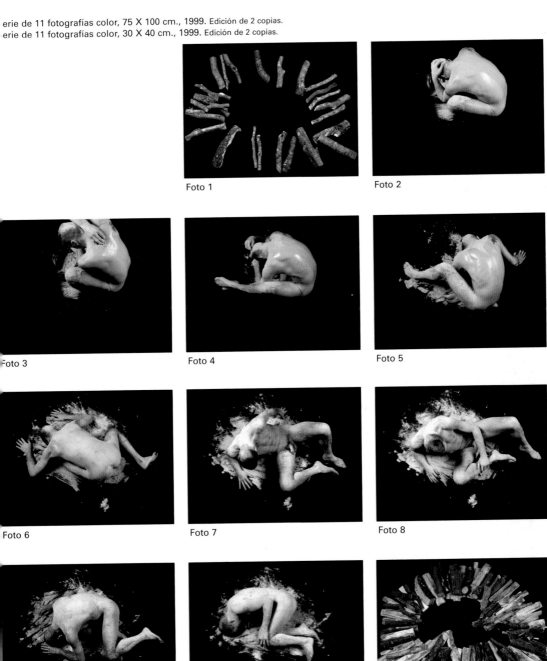

Foto 1

Foto 2

Foto 3

Foto 4

Foto 5

Foto 6

Foto 7

Foto 8

Foto 9

Foto 10

Foto 11

169

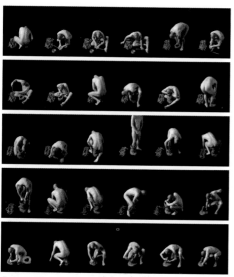

caligrafía

Fotografía color, 5 paneles de 30 X 140 cm., 2001.
Edición de 3 copias.

el parotet

Fotografía color, 80 X 200 cm., 2001.
Edición de 3 copias.

aliento esforzado

Fotografía color, 80 X 120 cm., 2000.
Edición de 3 copias.

duelo y deleite

Fotografía color, 80 X 120 cm., 2000.
Edición de 3 copias.

harto de basura

Fotografía color, 120 X 80 cm., 2000.
Edición de 3 copias.

en verano, invierno

Fotografía color, 60 X 45 cm., 2000.
Edición de 3 copias.

tesoros mal arrancados

Fotografía color, 60 X 40 cm., 2000.
Edición de 3 copias.

un pedazo de él

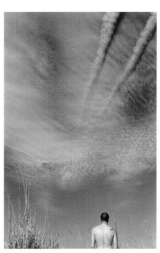

Fotografía color, 60 X 40 cm., 2000.
Edición de 3 copias.

alhajar

Fotografía color, 120 X 80 cm. y 120 X 80 cm., 2000.
Edición de 3 copias.

carroña buena para besar

flor, semilla y fruto

4 fotografías color de 30 X 40 cm., 199
Edición de 3 copias.

Fotografía color, 60 X 40 cm., 2000.
Edición de 3 copias.

Sísifo agotado

Fotografía color, 180 X 120 cm., 2001.
Edición de 3 copias.

demasiada agua tienes ya

causas forzosas

Fotografía color, 180 X 120 cm., 2001.
Edición de 3 copias.

Fotografía color, 180 X 120 cm., 2001.
Edición de 3 copias.

agua no quebranta hueso

Fotografía color, 80 X 180 cm., 2001. Edición de 2 copias.
Fotografía color, 30 X 60 cm., 2001. Edición de 2 copias.

173

temible requerimiento

Fotografía color, 35 X 49 cm., 2001.
Edición de 3 copias.

en invierno, verano

Fotografía color, 90 X 106 cm., 2001. Edición de 2 copias.
Fotografía color, 127 X 149 cm., 2001. Edición de 2 copias.

firme reja viril

Fotografía color, 120 X 120 cm., 2001.
Edición de 2 copias.

carne sólida

carne demasiado sólida

Fotografía color, 120 X 120 cm., 2001.
Edición de 2 copias.

Fotografía color, 120 X 120 cm., 2001.
Edición de 2 copias.

capa entintada   fortaleza

Fotografía color, 120 X 120 cm., 2001.
ición de 2 copias.

Fotografía color, 120 X 120 cm., 2001.
Edición de 2 copias.

rtaleza

otografía color, 5 paneles de120 X 120 cm., 2001.
dición de 2 copias.

acuropeta

tografía color, 30 X 160 cm., 2000.
ción de 3 copias.

la iluminación de X

sombra a la sombra

Fotografía color, 120 X 180 cm., 2000.
Edición de 3 copias.

tografía color, 90 X 30 cm., 2000.
ción de 3 copias.

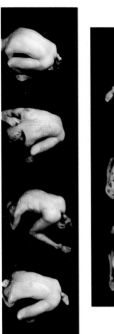
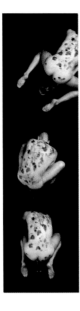

agua sin viento

Fotografía color, 40 X 170 cm. y 40 X 140 cm., 2000.
Edición de 3 copias.

voluntad sin voluntad

pastor de imágenes

Fotografía color, 100 X 60 cm., 2001.
Edición de 3 copias.

Fotografía color, 120 X 60 cm., 2001.
Edición de 3 copias.

anos apropiadas

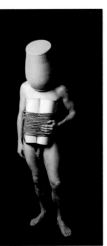

Fotografía color, 120 X 60 cm., 2001.
ción de 3 copias.

posesiones de barro

Fotografía color, 120 X 60 cm., 2001.
Edición de 3 copias.

Fotografía color, 90 X 90 cm., 2001.
ión de 3 copias.

ojos vueltos

manchas tenaces

Fotografía color, 90 X 90 cm., 2001.
Edición de 3 copias.

negras ideas

Fotografía color, 90 X 90 cm., 2001.
ión de 3 copias.

corazón de palabras

Fotografía color, 90 X 90 cm., 2001.
Edición de 3 copias.

177

marsupio

Fotografía color, 100 X 80 cm., 2001.
Edición de 3 copias.

hibris

híbrido

Fotografía color, 87 X 80 cm., 2001.
Edición de 3 copias.

Fotografía color, 87 X 80 cm., 2001.
Edición de 3 copias.

arcilla translúcida

materia penetrable

ropas de dolor

Fotografía color, 176 X 85 cm., 2001.
Edición de 3 copias.

Fotografía color, 176 X 85 cm., 2001.
Edición de 3 copias.

Fotografía color, 176 X 85 cm.,
Edición de 3 copias.

cuero penetrable

gemelación incompleta

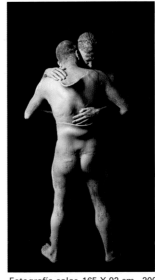

otografía color, 165 X 92 cm., 2001.
dición de 3 copias.

Fotografía color, 165 X 92 cm., 2001.
Edición de 3 copias.

funda de cuero

herencia de carne

otografía color, 165 X 92 cm., 2001.
dición de 3 copias.

Fotografía color, 165 X 92 cm., 2001.
Edición de 3 copias.

Becas

1992 Beca de la Comunidad Europea *Germinaciones 7*, Budapest (Hungría).

1997 Beca Cañada Blanch. Valencia.

Exposiciones individuales

1989 Galería Luis Adelantado. Valencia.

1991 Galería Ray-Gun. Valencia.

1997 Sala de Exposiciones del Centro Cultural de Mislata. Valencia (cat.).
Sala de Exposiciones de la Casa de Cultura de Albatera. Alicante (cat.).
Aula de Cultura de Aielo de Malferit. Valencia (cat.).
Sala de Exposiciones de Picanya. Valencia (cat.).
Espai d´Art A. Lambert, Xàbia. Alicante (cat.).
Sala de Exposiciones de Silla. Valencia (cat.).
Sala de Exposiciones de Benicarló. Castellón (cat.).
Centro Cultural la Merçé. Burriana. Castellón (cat.).

1998 Club Diario Levante. Valencia (cat.).

1999 *Tercer cicle de cinema Gay lesbià* de Benicàssim.
Teatre Municipal de Benicàssim. Castelló.
en las Entrañas. PhotoEspaña 1999. Galería Carmen de la Guerra. Madrid.
en las Entrañas. Galería Kúltural. Valencia.

2000 *la fuente del trigo. PhotoEspaña 2000*, Galería Carmen de la Guerra. Madrid.
a cuerpo. Galería Luis Adelantado. Valencia.

2001 *Caligrafía*. Galería Luis Adelantado. Valencia.
Caligrafía. Sala de exposiciónes Patio de Escuelas. Universidad de Salamanca. Salamanca.

Exposiciones colectivas

1988 *II Biennal de Pintura Vila de Mislata*, Centro Cultural de Mislata. Valencia (cat.).

1989 *Muestra de Nuevos Creadores*, Ateneo Mercantil de Valencia (cat.).
Prólogos, Sala Amadís. Madrid (cat.).

1990   *Mostra Nous Creadors*, Capella de l'Antic Hospital. Barcelona (cat.).
       Interarte 90, Galería Ray-Gun. Valencia (cat.).

1991   *Muestra de Arte Joven*, Museo Español de Arte Contemporáneo. Madrid (cat.).
       Interarte 91, Galería Ray-Gun. Valencia.

1992   *Germinaciones 7*, Bienal Europea de Jóvenes Artistas, Centre National d'Art Contemporain Magasin. Grenoble (cat.).
       Conversaciones, Centro Cultural Mislata. Valencia.

1993   *El Pulso de la Tierra*, Palau de la Música. Valencia (cat.).
       Silencis, Centre Cultural de l'Ajuntament de Vic y otros. Barcelona (cat.).
       Asunto Privado, Galería Punto. Valencia (cat.).
       Física, Alquimia y Piel, Galería Bretón. Valencia.

1995   *Arte y Sida*, Galería la Esfera Azul. Valencia (cat.).
       V Bienal de Pintura de Quart de Poblet, Centro Cultural de Quart de Poblet. Valencia (cat.).

1996   *Pensar la Sida*, Espai d'Art A. Lambert, Xàbia. Alicante (cat.).

1997   *VII Biennal d'Escultura Vila de Mislata*, Centro Cultural de Mislata. Valencia (cat.).
       Igualdades Diferencias, Palazzo Pinucci. Florencia (Italia) (cat.).
       Desde la Imagen, Sala Parpalló, Centre Cultural La Beneficencia. Valencia (cat.).
       El Dolor Exquisit, Galería Estrany-De la Mota. Barcelona.

1998   *Igualdades Diferencias*, Academia de San Carlos. Mèxico (cat.).
       Ciudades Invisibles. Siete miradas contemporáneas sobre Valencia (cat.).

1999   *El Jardín de Eros*. Palau de la Virreina y Tecla Sala, Barcelona.
       Carnaza. PhotoEspaña 99. Galería Carmen de la Guerra. Madrid.
       El Formalismo en el Arte Español de los 90. Centro Cultural de la Caja de Ahorros de Murcia. Cartagena. Murcia (cat.).
       Fondos artísticos Club Diario Levante (doce propuestas). Sala Josep Renau de la Facultad de Bellas Artes. Valencia.
       Demonstrate (propuestas de arte público para Madrid). Galería Salvador Díaz. Madrid.

2000   *Art Chicago 2000*. Galería Luis Adelantado. Chicago.
       Fia 2000. Galería Luis Adelantado. Caracas.

Estéticas Ibero Americanas. Museo de Arte Contemporáneo Sofía Imber. Caracas.
Artísima 2000. Galería Luis Adelantado. Torino.

2001   *Art Miami 2001*. Galería Luis Adelantado. Miami.
Arco 2001. Galería Luis Adelantado. Madrid.
Proyecto Focus, una misión fotográfica. Exposición itinerante organizada por la Consejería de Educación Comunidad Autónoma de Madrid.
BIDA 2001, Bienal internacional del deporte en el arte. Edificio histórico de la Universidad de Valencia. Valencia.
Ofelias y Ulises, en torno al arte español contemporáneo. Bienal internacional de Arte de Venecia. Venecia.

Premios y menciones

1989   1er. Premio Mostra de Nous Creadors de la Comunitat Valenciana. Mención de Honor en el Salón de Pintura de la Caja de Ahorros de Sagunto. Valencia.

1991   Premio Muestra de Arte Joven 91. Madrid.

1995   Premio del Concurso de Carteles 28 de Junio. Valencia.

1996   Premio del Concurso de Carteles 28 de Junio. Valencia.

1997   Premio de la VII Biennal d'Escultura Vila de Mislata. encia.

Publicaciones

Revista *Muy Frágil*, n° 2, Barcelona, 1993.
Revista *Muy Frágil*, n° 3, Barcelona, 1993.
Portada de la revista *Paper Gai*, n°7, Valencia, 1995.
Cartel conmemorativo del Día del Orgullo Gay, Valencia, 1995.
Cartel conmemorativo del Día del Orgullo Gay, Valencia, 1996.
Portada de *ECO* (Revista d'Arts Visuals), n°1, Xàbia, Alicante, 1996.
Cartel del II Congrés del Col·lectiu Lambda de Gais i Lesbianes del País Valencià, Valencia, 1996.
Revista *Zero*, n° 9, Madrid, 1999.
Revista *Art Teatral*, n° 12, Valencia, 1999.

Bibliografía (selección)

ALIAGA, Juan Vicente, "Elogio de la pasividad", en el catálogo de la exposición *Presagio húmedo*, Xàbia, Ajuntament de Xàbia, 1997.

ALIAGA, Juan Vicente, "¿Existe un arte queer en España?", *Acción Paralela*, s/n, Octubre 1997, Madrid, pp. 54-71.

ALIAGA, Juan Vicente, *Bajo Vientre. Representaciones de la sexualidad en la cultura y el arte contemporáneos*, Valencia, Coleccion Arte, Estética y Pensamiento, Generalitat Valenciana, 1997.

ALIAGA, Juan Vicente y VILLAESPESA, Mar, *Transgenéric@s*, San Sebastián, Koldo Mitxelena, 1998.

CODESAL, Javier, "El niño llorón, cuento calcado sobre la piel de Álex Francés", en el catálogo de la exposición *El niño llorón.*, Valencia, Club Diario Levante y Fundación Cañada Blanch, 1998.

CODESAL, Javier y FRANCÉS, Álex, "Padre hembra", en el catálogo de la exposición *BIDA 2001. Bienal internacional del deporte en el arte*, Madrid, Ministerio de Educación, Cultura y Deporte y Consejo Superior de Deporte, 2001.

DOCTOR RONCERO, Rafael (Coord.), *Pautas y Contrastes. Vías y propuestas del arte español contemporáneo*, Madrid, Museo Nacional Centro de Arte Reina Sofía, 2000.

DOCTOR RONCERO, Rafael. "Ofelias y Ulises", en el catálogo de la exposición *Ofelias y Ulises. En torno al arte español contemporáneo*, Venecia, Ministerio de Asuntos Exteriores y Fudación BBVA, 2001.

G. CASTILLA, Pancho, "Álex Francés", *Neo2*, n° 8, 1999, Madrid, p. 27.

GUARDIOLA, Juan "Átame, sin favor, que también soy carne", en el catálogo de la exposición *El niño llorón.*, Valencia, Club Diario Levante y Fundación Cañada Blanch, 1998.

MIRA PASTOR, Enric, "Un rumor afuera", en el catálogo de la exposición *Desde la imagen*, Valencia, Diputació de València, 1997.

PÉREZ, David (Coord.), *Del arte impuro. Entre lo público y lo privado*, Valencia, Coleccion Arte, Estética y Pensamiento, Generalitat Valenciana, 1997.

PÉREZ, David, "Tócame, por favor, que sólo soy agua", en el catálogo de la exposición *El niño llorón.*, Valencia, Club Diario Levante y Fundación Cañada Blanch, 1998.

PÉREZ, David, "Álex Francés: ni público ni privado... ¿Entiendes?", en el catálogo de la exposición *Demonstration*, Madrid, Galeria Salvador Díaz, 2000.

SANTAMARÍA, Lourdes, "Carne y ceniza", en el catálogo de la exposición II *Jornades de fotografía*, Almussafes, Ajuntament d'Almussafes, 2000.

GALERÍA LUIS ADELANTADO
C/ Bonaire, 6
46003 Valencia (España)
Telf.: 963 510 179
Fax: 963 512 944
E-mail: mail@galerialuisadelantado.com
Página Web: www.galerialuisadelantado.com

Diseño y maquetación:
Sylvia Lenaers Cases

Fotografías:
Alex Francés

Textos:
Lourdes Santamaría Blasco - Sylvia Lenaers Cases
Gloria Picazo
Alex Francés

Traducciones:
Itciar Urrutia

Colaboradores:
Lourdes Santamaría, Sylvia Lenaers, Javier Codesal, Toni Veroni, Javier Pibidal, Pilar Martínez, Xavier Moltó e Isabel Ribes.

Campo de Agramante, 46 / Centro de Fotografía - Universidad de Salamanca

©
De esta edición:
Ediciones Universidad de Salamanca
Galería Luis Adelantado

De las fotografías:
Alex Francés

De los textos:
Lourdes Santamaría
Sylvia Lenaers
Gloria Picazo
y
Alex Francés

1ª edición agosto 2001
IBSN: 84-7800-115-8
Depósito legal: V-3184-2001

Ediciones

Fotomecánica e impresión: Gráficas Sedaví